AMOUR D'HIVER

Han Suyin est née en Chine  père chinois et de mère ~~~~ études de médecine qu'e~~~~ Revenue en Chine qu~~~~ lle se marie, écrit son ~~~~king), accompagne à L~~~~ taché militaire, et adop~~~~Chine en 1945, trouve la ~~~~ cours de la lutte contre les communistes.

Han Suyin achève ses études à Londres (1948) où elle exerce un an, puis réside à Hong Kong. Remariée en 1952, elle s'installe en Malaisie mais va chaque année en Chine populaire. Puis, elle poursuit à Singapour une double carrière de médecin et d'écrivain. Depuis quelques années, le succès véritablement mondial de son œuvre l'oblige à se consacrer entièrement à son métier d'écrivain. Elle prépare notamment une vie de Mao Tse-toung dont le premier volume : Le Déluge du matin paraît en 1972.

Han Suyin, c'est pour nous l'Orient, la Chine, la Malaisie, le Népal... Multiple Splendeur, Et la pluie pour ma soif, La montagne est jeune. Hier à Hong Kong, Singapour ou Pékin, et demain à Genève.
Le thème, le décor de ce nouveau roman ont de quoi surprendre. Le décor, c'est Londres, où Han Suyin a fait ses études de médecine, Londres pendant la guerre, entre deux alertes, sous la menace des bombardements et dans la grisaille de l'angoisse. Le thème, c'est l'amour impossible, deux étudiantes, une jeune fille et une jeune femme qui éprouvent ensemble la difficulté d'aimer, en des temps, des lieux et une époque qui sont bien ceux de la « frustration ». Ce roman insolite, inhabituel, démontre, s'il était nécessaire, que rien de ce qui est humain n'est étranger à Han Suyin, et qu'elle peut traiter, avec la même compréhension et la même objectivité, les sujets les plus divers.

HAN SUYIN

Amour d'hiver

**ROMAN TRADUIT DE L'ANGLAIS
PAR COLETTE M. HUET**

*Sylvie Bélancourt
25 Novembre 77*

STOCK

Cet ouvrage est la traduction intégrale du livre de langue anglaise
WINTER LOVE.

Jonathan Cape, éditeur, Londres, 1962.
© *1962 by Han Suyin.*

Il était neuf heures du matin, dans la cour centrale de Horsham Science College. J'étais une étudiante de seconde année. Le 20 septembre 1944. Septembre de Londres, encore à ses débuts, pas vraiment froid, mais mou, grelottant, visqueux, une humidité gris-jaune collant aux pierres et aux piliers de la cour. Toutes les filles étaient là, notre année et la troisième année, plus les nouvelles de première année serrées les unes contre les autres, embarrassées et muettes. Des groupes aux voix aiguës, aux rires affectés se reformaient, on revoyait déambuler à peu près les mêmes couples que précédemment. C'était une année de *duffle-coats* et de gabardines, tout le monde semblait en porter. Je n'arrive pas à distinguer dans le tableau d'autres couleurs que celles de Mara. Elle resplendissait à mes yeux dans un tailleur de tweed vert et bleu, dressée sur de hauts talons, au milieu des remous d'un insipide gris-beige.

« Hello, Red ! Bonnes vacances ?

— Oui, merci. »

C'était Louise, des yeux bleus qui me regardaient, un manteau de poil de chameau beige. Je l'avais prise sous ma protection en première année, nous avions fait la paire. Elle avait passé les courtes vacances d'été en Irlande, avec sa famille, et nous avions beaucoup correspondu.

« J'ai déniché le meilleur casier, Red. Je suis arrivée de bonne heure et j'ai pu me le faire refiler par la Toupie. Je lui ai dit que je le partegerais avec toi.

— Parfait. »

Je regardais fixement les talons de Mara surmontés de bas de nylon. Les bas de nylon, je n'en avais vu que dans les journaux. Strict marché noir en 1944.

Louise suivit mon regard.

« Qui est la nouvelle gonzesse ?

— Sais pas.

— Seigneur Dieu, regarde-moi un peu ces ongles ! »

Du vernis rose. Sans doute ses ongles de pied étaient-ils aussi vernis de rose. Elle devait avoir de jolis pieds dans ces chaussures souples de daim bleu marine. Ses cheveux noirs, mi-longs, étaient lisses comme l'aile du corbeau, avec le bout retourné en dehors.

« Italienne ou Française, dit Louise. Oh ! Seigneur ! encore une de ces gonzesses mariées. Elle a une alliance. »

A l'annulaire gauche, elle portait un anneau tout simple, que je crus d'argent.

« C'est la guerre, dit Louise. Y a des gonzesses mariées partout, à l'heure qu'il est. Des gonzesses avec de la galette. Des chiens avec la gale. »

Louise s'efforçait d'imiter ma façon de parler, pour me plaire. Et moi, je parlais de cette manière parce que ça impressionnait les enquiquineuses comme Louise. J'avais pris cet argot à Rhoda, et maintenant quantité de filles trouvaient que ça faisait chic de l'employer.

Daphné s'approcha de moi.

« Hello, Red ! Bonnes vacances ? Tu es épatante, ma chérie. Qui est le nouveau numéro ?

— Lenora Stanton numéro 2, dit Louise. Encore une de ces étudiantes mariées. Horsham court à sa perte.

— Dis-moi, Red, veux-tu faire équipe avec moi pour les T.P. ? fit Daphné. Toi et Louise, je veux dire. »

Louise prit un air glacial.

« Merci de rien, espèce de cruche ! »

6

J'étais là avec Daphné Meredith et Louise Wells, mes copines. Je les connaissais toutes deux depuis la pension, et Louise prétendait être amoureuse de moi. Mais je les quittai pour aller me planter près de Mara — sauf que, naturellement, j'ignorais encore son nom. Elle tourna la tête ; son front était à la hauteur de ma bouche. Elle avait un visage pointu de chat, des yeux sombres, un teint clair.

« Eh bien, fis-je, bonjour ! Vous êtes une nouvelle ?

— Oui, mais j'entre directement en seconde année. Miss Eggleton m'a dit que c'était possible. »

Eggie était notre chef de travaux pratiques.

« Vous faites équipe avec quelqu'un ? Pour les travaux pratiques de zoologie, je veux dire. »

Elle secoua la tête.

« En ce cas, que diriez-vous de disséquer avec moi ? Enfin, si ça ne vous ennuie pas. »

Elle dit :

« Mais oui, je ne demande pas mieux, bien sûr.

— A tout à l'heure au labo, alors, dis-je. On va s'y réunir pour l'attribution des macchabées ; enfin, vous savez, les spécimens. A propos, je m'appelle Bettina Jones, mais tout le monde dit « Red »... mes cheveux. »

Je les montrai de l'index :

« C'est du vrai, alors... »

Elle se mit à rire. Elle me regarda. Je portais ma veste de cuir et ma jupe de flanelle grise. Je cachai mes mains dans mes poches.

« Et moi je m'appelle Mara Daniels. A tout à l'heure, Red, au labo, comme vous dites. »

J'allai rejoindre Louise et Daphné en sifflotant tout bas. Louise m'offrit cet élargissement des paupières du côté externe de l'œil, pupilles se dilatant, puis se rétractant brusquement, un truc dont quelqu'un, mais pas moi, devait lui avoir dit qu'il rendait ses yeux plus charmeurs. Elle l'utilisait très souvent. Au début, cela m'avait attirée, mais à cet instant, brusquement, je cessai de m'y laisser prendre.

« Qui est-ce ? »

Louise affecta de tordre sa lèvre inférieure sur le « ce ».

« Une brave gosse, dis-je. Je lui ai demandé de disséquer avec nous.

— Tu lui as demandé... à une gonzesse mariée, genre Stanton ? Tu dérailles, Red. Je ne t'avais encore jamais vue t'intéresser à cette espèce. »

Daphné se contenta de prendre un air détaché.

« Je suppose, continua Louise, qu'ensuite elle va partager ton casier, celui que j'ai déniché pour nous ?

— Je n'y avais pas pensé. Mais j'imagine que je ferais mieux de me démener tout de suite pour lui en trouver un, dis-je.

— Peuh ! fit Daphné. Nous sommes toutes passées par ce stade, ma vieille. »

Elle s'éloigna à grands pas, le visage légèrement frémissant.

Louise était capable de se fâcher tout rouge, mais elle ne tenait pas à faire une scène pour le moment. Elle avait sa dignité. L'instant d'après, elle bavardait et riait au milieu d'un groupe. C'était sa façon de me rendre la pareille, mais ça m'était bien égal, à présent, et je ne lui dis rien quand elle me tourna le dos.

J'observai Mara. Elle s'était adossée à un pilier. Des filles la dévisageaient furtivement, avec curiosité. Elle entrait tout droit en seconde année. Mon année. Elle allait faire équipe avec moi. Elle se tenait là, sans regarder personne, pas même moi, le visage empreint d'un tranquille détachement. Je savais que c'était le plus beau visage que j'avais jamais vu.

Le laboratoire de zoologie à Horsham, bien que plus récemment construit et amplement équipé de baies vitrées, était aussi lugubre que le reste du bâtiment de quatre étages, datant des années vingt. Peu avant la guerre, une chère vieille ancienne élève de Horsham, débordant d'enthousiasme pour la cause de l'émancipation féminine, avait légué assez d'argent au collège pour permettre d'en moderniser cette partie. Comme elle l'avait écrit dans son testament : se remémorant les heures affreuses qu'elle avait passées à essayer de s'instruire, elle désirait que nous fussions mieux installées qu'elle l'avait été. On avait rebâti quelques murs croulants. A une extrémité de la pièce, au plafond et sur tout un côté, nous avions des panneaux vitrés donnant sur le ciel et sur les rangs serrés de mille cheminées londoniennes. En 1944, avec les V 1, ce n'était pas très rassurant. Rien n'était arrivé jusque-là — le *blitz* nous avait épargnées — mais on se sentait vulnérable lorsqu'un engin bourdonnait dans les hauteurs.

Notre table de dissection en ciment, sur laquelle on plaçait les animaux injectés de formol (nous étions passées aux vertébrés et disséquions des chats) se trouvait dans le coin gauche, juste à l'endroit où commençait la verrière ; et quand je levais les yeux au-dessus des spécimens étendus, gouttants de graisse figée et répandant une horrible odeur d'acide dans l'air froid du labo, je pouvais voir un ballon gris et, derrière lui, un autre et d'autres encore, quantité de ballons d'observation suspendus dans le ciel gris.

Mara et moi, nous peinions sur une moitié de chat. Louise et Daphné s'occupaient de l'autre moitié. Le formol nous tirait des larmes, l'odeur nous faisait tousser. Miss Eggerton n'aimait pas entendre tousser.

« Voyons, voyons, mesdemoiselles ! »

Elle entrait, tapotant les tables avec la mince baguette qu'elle avait toujours à la main et dont elle montrait les organes, les nerfs à nu et les tendons, comme un chef d'orchestre à un concert promenade pointe son bâton sur les musiciens. Elle allait de table en table, claquant de la langue et tapotant de sa badine. Parmi nous, il y en avait qu'elle aimait, d'autres qu'elle n'aimait pas, et elle ne se souciait jamais de cacher ses sentiments.

Tout d'abord, Eggie prit Mara en grippe, ce qui n'était pas difficile à comprendre. Mara était tellement à part : Premièrement, il y avait sa beauté, ses vêtements, sa façon de parler. Puis un jour, alors que nous travaillions sur le chat depuis une bonne semaine, Mara, pour se rendre au vestiaire, traversa le laboratoire en sautillant. Pourquoi avait-elle ainsi sautillé au lieu de se contenter de marcher, je l'ignore. Elle était ainsi parfois, comme une éternelle enfant. Le lendemain, Eggie écrivit à la craie rouge, au tableau noir : « Les élèves sont priées de *marcher posément* et de s'abstenir de sautiller à travers les laboratoires de zoologie. »

Mara ne voyait pas la raison de cette interdiction, et elle le dit.

Louise, occupée à gratter de son scalpel, fit :

« Je suis d'accord avec Eggie. C'est un manque de tenue.

— Un manque de respect envers les chats, expliquai-je. Nous les coupons en morceaux, c'est entendu, mais nous n'en devons pas moins leur témoigner du respect ou quelque chose d'équivalent. Je veux dire nous abstenir de rire, de chanter, de parler trop fort et le reste. »

A cette époque, Eggie frémissait d'irritation contenue chaque fois qu'elle apercevait Mara, voyait les ongles vernis, le maquillage, les bas de nylon, les talons hauts et les cheveux trop longs, bien lustrés. Tout, chez Mara, proclamait la fortune, les soins, la classe, et je suppose que cela dérangeait Eggie dans sa délectation puritaine de la laideur. Mara possédait une aisance négligente, lointaine qu'on prenait souvent pour de l'impudence quand ce n'était que du détachement ; elle parlait et agissait sans calcul, ce dont Eggie n'avait pas l'habitude. En général, nous faisions toutes la cour à Eggie, même Lenora Stanton.

La beauté de Mara impressionnait Eggie, c'était évident. Durant la guerre, nous nous complaisions plutôt dans le débraillé ; nous n'avions ni les ongles ni les cheveux très propres. C'était difficile de se procurer ce qu'il aurait fallu pour se bichonner et, en un sens, agréable de se laisser aller. On en tirait le même plaisir qu'à parler l'argot petit-bourgeois ; cela vous donnait l'impression d'être mieux « dans le bain », sans préjugés de classe, bien copine avec tout le monde, et plus dure ; cela reflétait ce « je suis capable de me débrouiller seule », dont nous étions entichées, pour la plupart ; c'était une attitude, et nous étions faites à cette attitude.

Mara ne ressemblait pas à Lenora Stanton, qui tenait à parler à tout le monde de la mort de son mari, de ses bébés, qui encourageait les autres filles à croire en l'amour libre, à voir dans l'amour physique une extase magnifique, et qui lançait gaiement, en pleine cantine : « Ce qu'il vous faut à toutes, c'est *un homme* », alors que les hommes étaient fichtrement difficiles à dénicher, à cette époque. Mara ne disait rien, mais il était visible qu'elle avait une vie secrète, une vie autre que celle-ci, parmi les cadavres de chats, dans ce laboratoire aux fenêtres glaciales donnant sur le ciel. Cet air de sortir d'une boîte suggérait la sollicitude d'autrui, les attentions d'un homme, le soutien de la fortune, et pourtant il y avait quelque chose qui ne cadrait pas bien. On ne pouvait imaginer que Mara manquait de quoi que ce soit, malgré la guerre. Mais alors que venait-elle faire ici ? Bien sûr qu'Eggie ne la trouvait pas de son goût ! Le labo était le domaine d'Eggie. Eggie était liée au labo. La vie n'aurait pas grand-chose d'autre à lui offrir, pensais-je. Année après année, elle continuerait à enseigner la zoologie. Nous ne connaissions que la part de sa vie qui se déroulait au morne grand jour. Nous savions qu'avec l'hiver le nez d'Eggie rougirait de plus en plus, seul détail de couleur de toute sa personne. En dehors du labo, nous ignorions tout d'elle, nous ne pouvions imaginer qu'il lui arrivait quoi que ce soit d'excitant. Impossible de la voir autrement que jouant de sa baguette, ou demandant le nom d'un os ou la phylogenèse de la mâchoire. Tandis que Mara suggérait...

oh ! tant et tant de choses, des choses à vous faire
pâlir d'envie : des plages tièdes, des fards, des vins
français et, oh ! tant et tant de choses que la guerre
nous faisait oublier ou que nous n'avions jamais
connues.

Après avoir fait la connaissance de Mara, je me mis
à m'interroger sur les autres. Je veux dire sur ce qu'ils
étaient réellement, au-dedans d'eux-mêmes. Comme
je ne l'avais encore jamais fait. Ce fut Mara qui m'y
poussa. A Horsham, elle disait et faisait constamment ce qu'il ne fallait pas, ou, du moins, le semblait-il. Il y avait toujours quelqu'un pour faire des
suppositions à son sujet, discuter de telle ou telle
chose qu'elle avait dite ou faite. Cependant on se
taisait dès qu'on m'apercevait dans les parages. Mais
cela ne changeait rien pour moi : j'étais déjà amoureuse d'elle. Ça ne me plaisait pas, ces commérages.
Et quant à l'antipathie d'Eggie, eh bien, elle me faisait souffrir aussi, mais elle me montrait Eggie sous
un autre jour, en quelque sorte ; elle la rendait plus
humaine. Je savais pourquoi Eggie détestait Mara.
La pire ennemie de Mara était bien plutôt Louise,
qui ne manquait jamais l'occasion de faire des remar-
ques. Louise haïssait Mara, et je crois que c'était
moins à cause de moi que parce que Mara était
ravissante.

Parce que nous étions strictement entre filles, nous
nous sentions à notre affaire, malgré la malveillance.
Je veux dire que nous étions à l'aise, interpellant
gaiement nos partenaires après les T.P., nous en
allant deux par deux, couples semi-permanents qui
s'étaient formés rapidement ou lentement ; parfois,
mais c'était rare, qui changeaient après quelques
mois, chaque changement apportant avec lui une
« situation », des querelles ou des scènes muettes que
nous affections de ne pas voir. Moi, j'avais déjà eu
mes « situations » avant d'entrer à Horsham. Quelques-unes de ces amitiés duraient des années, toute la
vie, se suffisant à elles-mêmes, complètes et entières
en soi ; mais, c'était l'exception. Les noms des intéres-

sées devenaient quasi légendaires, étaient perpétués par des générations d'élèves de Horsham. Bien plus fréquemment, ces amitiés craquaient. Quand elles craquaient à cause d'une autre fille, c'était tout un drame, ou une farce, ou les deux à la fois, mais les choses finissaient par rentrer dans l'ordre. Ou bien un homme était intervenu dans la rupture et alors nous réagissions plus fortement. Et parfois il y avait une tragédie, mais pas souvent à Horsham.

Rares étaient les filles chez qui ce genre de penchant était durable. Pour la plupart, nous savions que nous dépasserions ce stade, que nous nous marierions aussitôt sorties de l'école ; et que nous aurions des gosses. A cause de la guerre, il y avait aussi parmi nous des femmes mariées, comme cette Lenora Stanton qui suivait des cours de sciences naturelles en vue d'une situation intéressant la Défense nationale, ou du moins le disait-elle. Lenora était une vraie poison, et je faisais de mon mieux pour l'éviter. Je l'avais détestée à première vue. Mais elle avait sa petite cour ; des filles suspendues à ses lèvres ou qui n'arrêtaient pas de parler de la Vie telle qu'il faut la vivre, de la Vie Grande et Prodigieuse Expérience, et du Rôle de la Femme et de la Vie Amoureuse. Lenora avait fait un peu de théâtre ; son mari, acteur, lui aussi, était mort en passant le tapis à l'aspirateur. « Electrocuté ! claironnait-elle de sa vibrante voix de scène ; il s'est fait électrocuter. Je suis rentrée à la maison pour le trouver mort, l'aspirateur à la main. » Dans sa coterie, personne ne semblait juger ça drôle.

Lenora était sur le point de se remarier et elle laissait entendre qu'elle entrerait dans les Services secrets, auprès de son nouveau mari. En attendant, elle voulait nous faire comprendre à toutes la Vie et l'Amour et elle ne nous épargnait rien de ses grands et prodigieux corps à corps avec son futur. Lenora avait quelque peu voyagé et, après la guerre, elle avait l'intention de s'établir en Australie avec son mari. Il était à moitié australien, ce qui n'avait vraiment pas l'air de la troubler, même quand Louise ricanait : « Les grands espaces illimités... »

« Bien entendu, ne manquait jamais de crier gaiement Lenora, les gens sont terriblement conventionnels là-bas. Je veux dire, aux réceptions, les femmes s'asseyent d'un côté, les hommes de l'autre, et ils ne s'adressent jamais la parole. Et si une jeune fille s'approche des hommes pour leur parler, toutes les autres femmes se liguent contre elle et disent que c'est une *effrontée*. »

Ses yeux brillaient ; elle se faisait une joie à l'avance de prêcher la Vie Amoureuse en Australie.

Lenora, de cette même voix vibrante, me parla un jour d'Eggie. Apparemment, elle était allée une fois prendre le thé chez elle, car, aussi incroyable que ce soit, Lenora Stanton plaisait à Eggie.

« Elle habite avec son amie un petit appartement tout en haut de Bayswater Road... Son amie, une femme, bien sûr, est biologiste... Un vrai trou à rats, avec des rideaux de dentelle, des abat-jour à franges, des tapis au crochet et tout le bataclan... Et un chat, bien entendu... Coupé », ajouta-t-elle.

Mises à part Lenora et Mara, les deux élèves mariées de notre année, nous n'avions sous les yeux que des femmes célibataires : des filles jeunes, vives et turbulentes, ou d'âge moyen, grisonnantes et brusques. Les jeunes gens faisaient la guerre au loin et beaucoup d'entre nous avaient quitté la pension sans en avoir jamais fréquenté, comme il eût été normal. Partout une foule d'Eggie, laissées pour compte de la première guerre mondiale, faisaient du beau travail.

Pour commencer, Mara se montra une élève au-dessous de tout. Comment on avait pu la laisser entrer directement en seconde année ? je me le demandais. Pourquoi on l'avait même acceptée à l'Ecole ? je ne l'ai jamais su. Peut-être restait-il une place vacante et la lui avait-on donnée. Aux trois premières colles, elle n'essaya même pas de répondre aux questions d'Eggie. « Je ne sais pas », disait-elle ; alors Eggie ne la lâcha plus.

« C'est insuffisant, Mrs. Daniels. Moi, je *sais* que vous avez d'autres passe-temps plus intéressants, mais ici nous prenons notre travail au sérieux.

— Oui », dit Mara.

Et elle prit l'air détaché, lointain.

J'étais assise, les mains dans les poches. Je ne pouvais intervenir — pas même en parler ensuite à Mara. J'avais honte pour elle et j'étais malheureuse de la voir faire aussi mauvaise impression. Mais elle me souriait, comme si ça n'avait pas eu d'importance. Maintenant, je me rends compte que cela n'en avait pas, mais, sur le moment, n'ayant pas encore quitté l'école, je réagissais en écolière. J'aurais voulu que Mara soit brillante et populaire ; j'aurais voulu la protéger d'Eggie, la soustraire aux taquineries des autres, en particulier de Louise qui était incollable. Personne n'ignorait que Louise obtiendrait une mention. Elle avait toujours les meilleures notes, elle s'échinait à remplir cahier après cahier de son écriture égale et bien liée et à chaque fois que Mara disait : « Je ne sais pas », Louise ricanait, tandis qu'Eggie tapotait la table de sa baguette pour rétablir d'ordre.

« Je ne pense pas que notre amie s'attarde bien longtemps auprès de nous », dit Louise sans avoir l'air d'y toucher un jour au déjeuner, alors que j'attendais Mara à la cantine. Mara et moi, nous avions *nos* places attitrées dans la salle de cours, *notre* table à la cantine.

« Ça ne te regarde pas, répliquai-je.

— Bien sûr que non, Red, mon lapin, dit Louise d'un ton gracieux. Laissons la nature suivre son cours. Mara n'avait rien à faire à Horsham. Elle aurait dû se cramponner à l'homme qu'elle a déniché et rester chez elle. Ici, elle accapare simplement une place qui ferait le bonheur de quelqu'un d'autre. »

Je ne répondis pas ; puis Mara vint me rejoindre et après déjeuner nous fîmes un tour dans le parc.

L'examen du milieu du trimestre aurait lieu dans une semaine. Je n'étais pas très rassurée à ce sujet et je dis :

« Ecoute, Mara, j'ai pris quelques notes. Ce n'est pas grand-chose, mais ça t'éviterait de potasser tout le livre. Tu ne crois pas que ça t'aiderait ?

— Oh ! merci, dit-elle, mais j'aime beaucoup lire les manuels de zoologie.

— Ecoute, dis-je, il faut vraiment que tu *saches* quelque chose cette fois-ci, surtout sur les mammifères que nous sommes en train de disséquer, autrement, Eggie ne te laissera pas continuer. Je veux dire que la compétition est très serrée.

— C'est malheureux », fit Mara.

Nous entrâmes dans Saint James's Park, mais il faisait déjà sombre, en sorte que je raccompagnai Mara chez elle. Il y avait un mois que nous disséquions ensemble. Une semaine plus tôt, je l'avais raccompagnée pour la première fois. Elle m'avait quittée au carrefour, en disant : « Bonsoir, Red. » Je savais qu'elle ne voulait pas que j'aille chez elle. Et moi, je ne voulais pas qu'elle sache où j'habitais, car je craignais qu'elle ne trouve l'endroit trop sordide. Je l'imaginais regagnant un appartement splendide — luxueux, tiède, merveilleux — avec des tapis, et des rideaux de satin brillant, pas du tout le genre du petit trou à rats d'Eggie, pas du tout comme ma pension meublée de Camden Town, avec la salle à manger au sous-sol, une odeur de friture dans tous les coins et des poils de chat dans le thé ; sans compter Andy et ses copains — des étudiants en médecine de Saint Thomas — empestant le formol, comme moi après une séance de travaux pratiques (sauf qu'eux, apparemment, ils ne se lavaient pas), la sueur et le linge malpropre. Et Nancy, la tenancière, avec ses cheveux blonds décolorés et son petit ami Edward, le voyageur de commerce qui faisait de la gymnastique suédoise dans la salle de bain, et le râtelier qu'elle abandonnait n'importe où, et cet ulcère d'estomac qui lui donnait mauvaise haleine.

Je rentrai chez moi et priai de toutes mes forces pour que Mara réussisse au premier examen, et moi aussi, naturellement, mais je ne croyais pas possible que Mara puisse s'en tirer. C'était bien la première fois que je me tracassais pour un examen autre que le mien.

« Bien, disais-je, sans pouvoir m'arrêter, bien, bien... »

Nous suivions les quais de la Tamise. J'entendais les pas de Mara et les miens résonner ensemble, et ceux d'un flic faisant sa ronde un peu plus loin devant nous. Il semblait que c'étaient les seuls bruits de ce dimanche après-midi, fleuve glacial et silencieux, courant languissant d'heures. Londres n'était qu'images ravissantes, grises et argentées : immeubles graciles dessinés sur le ciel d'argent ; ballons d'observation, grosses bulles ancrées vacillant au vent guilleret. Le soleil lui-même était d'argent. Les pas de Mara s'accordaient aux miens ; ses talons claquaient sur le pavé et mes semelles plates fournissaient un accompagnement à leur bruit sec. Je nous entends encore, nous et le flic, et moi qui disais :

« Bien, bien...

— Bien, bien, fit Mara m'imitant pour me taquiner.

— Mara, répétai-je, tu t'en es tirée ! »

Je l'avais dit au moins dix fois déjà, enivrée par son succès comme si c'eût été le mien. Je le ressassais. J'y pensais sans arrêt tout en fourrant mes mains dans les poches de ma gabardine et en inhalant l'air froid. C'était merveilleux de se promener sur l'Embankment par un dimanche après-midi avec Mara, en évoquant Eggie trônant au bout d'une longue table, tandis que nous, les élèves, nous regroupions des os et des débris d'animaux saturés de formol, chat, poisson, grenouille, dispersés un peu partout. Du bout de sa baguette, Eggie soulevait les débris ou les montrait, tranchante, ironique quand on ne savait pas, pleine d'une impatience entendue qui nous faisait bégayer ou nous désarçonnait. Son regard passait vivement d'une élève à l'autre, elle brandissait sa baguette. C'était là l'épreuve qui, selon moi, coulerait Mara.

Louise lui avait demandé, tandis que nous nous installions pour l'épreuve de travaux pratiques :

« Savez-vous un peu de zoologie, Mrs. Daniels ?

— Et vous ? » avait répliqué Mara du tac au tac.

Louise avait fait entendre son rire amusé, supérieur.

Lorsque vint le tour de Mara, toutes les autres, me sembla-t-il, se penchèrent vers elle avec des regards luisants, dans l'attente cruelle de la voir se tromper. Mais Mara savait. La baguette allait de débris en débris, fourrageant, insistant, et les réponses venaient avec facilité, si rapides qu'à un certain moment Mara parut même souffler les questions, presser Eggie de continuer. C'était un spectacle merveilleux. Louise elle-même n'aurait pu faire mieux. Et puis Eggie sévère, mais bonne joueuse, dit :

« Félicitations, Mrs. Daniels. »

Un silence glacial accompagna le départ d'Eggie, puis je me mis à siffloter. Je siffle toujours quand je suis contente.

Deux ou trois filles s'approchèrent de Mara pour lui dire : « Bien joué ! » et : « On peut dire que vous aviez mis votre lumière sous le boisseau, vous. »

« Bien, bien, dis-je, tu étais vraiment un génie méconnu, Mara.

— Oh ! non, dit Mara, je me suis dépêchée de tout apprendre, voilà tout.

— Après ça, dis-je, c'est moi qui vais te demander de m'aider. Si tu es aussi calée en physiologie et en chimie organique, il faut que tu me donnes des répétitions. »

Nous étions penchées sur le parapet du quai et nous regardions le fleuve puissant balancer sans bruit ses péniches brunes. Je revois encore la réverbération chatoyante de l'eau sur le visage de Mara ce jour-là, lumière tombant du ciel sur le fleuve et réfléchie vers elle. Il en était ainsi de mon bonheur : il me venait d'elle, j'y atteignais à travers elle, elle lui donnait forme.

Nous prîmes le thé dans un petit café enfumé, étouffant, où chauffeurs de taxi et autres mangeaient du poisson et des frites, foule masculine et bruyante qui nous était étrangère, dont nous étions totalement coupées. Puis je raccompagnai Mara chez elle, à Mayfair, Maybury street ; je m'arrêtai avec elle au carrefour ; elle me raccompagna jusqu'à Oxford Circus. Je refis encore le trajet jusque chez elle. Je ne pouvais me résigner à la quitter. Eternellement, me semblait-il, nous allions marcher du même pas, ensorcelées, infatigables, dans les rues froides et sombres.

Chaque matin, désormais, je me levais une demi-heure plus tôt qu'avant de connaître Mara, j'avalais en vitesse mon petit déjeuner, je me dépêchais d'attraper le trolleybus, puis il me fallait encore changer deux fois avant d'atteindre le coin de la rue où j'attendais Mara. Chaque matin me revenait la crainte angoissée d'arriver trop tard ; Mara, ne me voyant pas venir, serait sans doute partie sans moi et, faute de savoir si ma supposition était juste, moi, j'allais l'attendre et être en retard à Horsham. Mais cela ne se produisait jamais. J'étais toujours là la première et, au bout d'un instant, je voyais Mara descendre la rue dans ma direction.

Il faisait très froid pour novembre. Je m'entends encore le dire en battant la semelle, alors que nous attendions notre autobus pour Horsham. Mais cela ne m'affectait pas comme m'affectait habituellement l'hiver, moi qui suis de ces personnes toujours frigorifiées. Je souffre d'une mauvaise circulation, d'après le médecin, et ça me donne des engelures. Mais cet hiver-là, j'étais la proie d'une ardeur qui me faisait oublier le picotement pénible de mes doigts gonflés, l'odeur de renfermé de ma chambre chez Nancy. Peut-être était-ce parce que je dépensais mes shillings avec plus d'insouciance, laissant brûler le gaz, assise devant la rampe pendant des heures, à rêver.

L'après-midi nous rentrions à pied de Horsham. Parfois, nous nous arrêtions pour prendre le thé dans un A.B.C., et puis, brusquement, Mara disait : « Oh ! il est tard, il faut que je rentre », avec une légère anxiété dans la voix. Nous nous remettions alors en route ; mais, malgré sa crainte avouée d'être en retard, Mara s'attardait encore avec moi au coin de sa rue. Il faisait si sombre, avec le black-out, que je ne voyais pas son visage quand nous nous disions bonsoir ; parfois, je croyais le distinguer, pâle, presque lumineux comme une perle, dans l'obscurité. Elle disait :

« Allons, Red, à demain.

— A demain. Je serai là. »

Je tournais les talons et m'éloignais. Elle attendait toujours que ce soit moi qui le fasse. Je sentais son regard me suivre.

D'autres fois, peu lui importait l'heure ; alors elle faisait une partie du chemin de Camden Town avec moi, puis je la raccompagnais de nouveau jusqu'au coin de sa rue, le coin de Maybury Street. Nous avons sans doute fait des kilomètres à pied chaque jour.

Un soir, à l'A.B.C., où nous prenions le thé, elle me dit :

« Aimerais-tu voir où j'habite ? »

Je connaissais l'immeuble. 34 Maybury Street, indiquait le registre du Collège. J'avais remonté la rue de bonne heure le dimanche matin (le dimanche, nous nous voyions rarement) dans l'espoir de la voir sortir par hasard de chez elle. Le n° 34 était une grande maison de briques rouges, de belle apparence, cossue. Mara occupait un appartement au troisième étage, il y avait son nom sous le bouton de sonnette. Il fallait qu'elle ait de la fortune pour habiter ce quartier chic, aux appartements luxueux.

A cet « Aimerais-tu ?... » de Mara, je fus heureuse, mais effrayée. Nous remontâmes Maybury Street, croisant deux professionnelles qui commençaient à peine à chasser le client et flânaient encore en bavardant. Nous entrâmes dans le hall. Là, dans une sorte de guérite, il y avait un type en uniforme qui lança : « Bonsoir, madame ! » Nous prîmes l'ascenseur, tout en bois ciré, avec des banquettes de cuir rouge. Tout fleurait l'encaustique, respirait le confort ; là, on n'était pas pris à la gorge par la poussière et le froid. La maison vous enveloppait d'une sorte d'odeur riche, chaude et paisible, suggérant l'encaustique de marque, le bon entretien, un chauffage bien réglé.

« Tu habites un endroit super-chic, Mara. »

Elle dit :

« Nous avons une femme de ménage qui vient deux fois par semaine et le portier en bas s'y entend très bien pour entretenir le chauffage. »

Elle ouvrit la porte de l'appartement avec une clef Yale ; alors nous entrâmes.

« Nous l'avons loué meublé », dit-elle en refermant la porte sur nous.

Le mobilier était beau, bien entretenu. Mais Mara ne semblait pas y attacher d'importance. Elle allait et venait tranquillement, sans même chercher à me faire les honneurs de son logis:

« Veux-tu prendre un bain ? me demanda-t-elle.

— J'ai l'air d'être sale ? »

Elle me regarda, moi, mon duffle-coat, ma jupe de laine grise.

« Oh ! Red, tu m'as dit toi-même que les conduites avaient éclaté chez toi. »

C'était vrai. Comme il avait gelé, nous étions privés d'eau à la pension de famille. Nancy nous l'avait annoncé au petit déjeuner, de sa voix des grandes catastrophes, celle qu'elle réservait aux méfaits du chat, aux grossesses ou à une crise particulièrement pénible de ses maux d'estomac.

« J'adorerais prendre un bain, ma vieille. »

Elle ouvrit la porte sur des murs de céramique étincelants ; un robinet se mit à couler, j'entendis un cliquetis de verre, elle revint :

« L'eau est bouillante. »

J'entrai dans la salle de bain, dont Mara referma la porte sur moi. La pièce était pleine de vapeur parfumée ; il y avait un grand bocal de sels pour le bain et, à la teinte vert-jaune de l'eau bouillonnante, je vis que Mara en avait versé dans la baignoire.

Quand je sortis de mon bain, je trouvai une grande serviette rose qui m'attendait ; et, remettant mes vêtements, j'eus l'impression qu'ils fleuraient l'aigre, qu'ils étaient raides de crasse figée. Jusque-là, je n'avais pas remarqué l'état du col de mon chemisier. Je n'eus pas le moindre plaisir de me rhabiller.

Je quittai la salle de bain. Mara était assise sur le lit. C'était un grand lit, ou plutôt deux lits rapprochés. Il avait une merveilleuse courtepointe, quelque chose de beige et de brillant qui faisait penser à une peau bien lisse. Je m'assis à côté de Mara. Je me sentais bien, à présent, j'étais plongée dans une douce langueur, tandis que je regardais le couvre-lit, et soudain ballottée dans une mer de souvenirs, transportée en arrière dans un moment similaire de mon enfance, dont je ne m'étais encore jamais souvenu. Comme une vague, il m'emporta : souvenir d'une nuit chaude, une odeur de lilas, douceur des bras de ma mère. Elle portait une robe de satin, un peu de la couleur du couvre-lit, ses bras nus resplendissaient. Elle sentait si bon. J'avais enfoui le nez dans sa robe.

« C'est de la verveine, dit Mara. L'aimes-tu ?

— Quoi donc ? »

Un instant, je ne compris pas très bien. Etait-ce du parfum d'il y avait tant d'années, d'un souvenir de chaleur et de bonne odeur, jusque-là prisonnier et sourdant du plus profond de mon enfance glaciale, qu'elle voulait parler ? Comment en savait-elle le nom ?

« Les sels de bain, Red. Tu viens de renifler, à

l'instant. Je croyais que tu cherchais à en reconnaître l'odeur. Ils viennent de Suisse. »

Je me flairai le dos de la main, je souris à Mara. Elle me renvoyait mon sourire.

« Oh ! Mara, dis-je, c'est délicieux d'être ici avec toi.

— C'est délicieux que tu sois là, Red. »

J'avançai la main et je sentis celle de Mara, là, sous mes doigts. Elle était petite comparée à la mienne. J'en fus contente. J'étais contente de cette soie sur laquelle j'étais assise. Contente. J'aurais pu m'endormir.

« Viens, dit Mara. Je vais te montrer quelque chose. »

Une autre porte, verrouillée. Mara prit une clef dans sa poche, l'introduisit dans la serrure, tourna le commutateur électrique. Une petite pièce nue, un chevalet, des toiles barbouillées de couleurs, l'une placée sur le chevalet, les autres appuyées contre le mur.

« Je ne savais pas que tu peignais », dis-je.

Je m'approchai du chevalet, mais Mara me retint.

« Ne regarde pas, dit-elle. Je fais ça pour m'amuser.

— Tant que tu sais que ce n'est qu'un jeu », dis-je d'un ton léger.

La toile était pleine de couleurs vives. Je ne savais pas si elle valait quelque chose ou non, mais c'était l'œuvre de Mara, aussi je dis :

« C'est rudement bon, ma vieille.

— Oh ! non, je sais que je ne fais rien de bien fameux », dit-elle.

Nous regagnâmes la chambre.

J'entendis tourner le loquet, compris que la porte d'entrée s'était ouverte. Mara se leva vivement, traversa le salon. Je la suivis.

C'était un homme ; il entrait, ôtant son chapeau, et Mara disait :

« Oh ! Karl ! »

Et à moi :

« Red, je te présente Karl, mon mari. »

J'aurais volontiers examiné Karl, mais d'abord je dus regarder Mara, car elle avait changé de voix. Sa voix était complètement différente maintenant, petite et tendue. Il n'y avait pas de quoi être effrayée, mais je le fus. L'homme restait planté là, se frottant les mains. Il n'était pas grand ; il avait de longs cheveux blonds, des cheveux un peu trop longs dans le cou ; il était beau, avec des yeux qui semblaient brun-vert à travers ses lunettes cerclées d'écaille ; il avait un regard attentif.

« Karl, dit Mara, je te présente Bettina Jones. Elle est venue prendre un bain, parce que les conduites de sa piaule ont éclaté.

— J'aimerais bien, dit-il avec un léger accent, que ma femme s'abstienne d'employer des mots d'argot de ce genre, Mara. »

Nous nous serrâmes la main, puis il lâcha mes doigts et se mit à se frotter les mains comme pour les savonner, de belles mains écœurantes, aux ongles bien formés, manucurés. J'entendis le bruit du frottement, tandis que Karl disait :

« Le temps est au dégel, mais je crois que le froid va revenir. »

Karl était « étranger » au point que tout ce qu'il disait vous embarrassait à l'extrême, surtout lorsqu'il essayait de parler de la pluie et du beau temps.

Mara dit : « Je vais faire du thé », et elle disparut.

Nous nous assîmes au salon, et Karl me demanda depuis combien de temps j'étais à Horsham et ce que je comptais faire après la guerre, et je compris que Mara ne lui avait pas parlé de moi ; jusqu'à cet instant, il avait ignoré mon existence. Il m'examina longuement, de la tête aux pieds, avec attention, puis il baissa les yeux, comme s'il avait trouvé que je n'étais pas digne de tant d'intérêt, et il tourna la tête vers Mara dans la cuisine. Mara apparut avec un plateau, alors Karl se mit à la persécuter. Persécuter, il n'y avait pas d'autre mot pour qualifier la façon dont il lui parlait, tandis que nous buvions les tasses de thé qu'elle nous versait.

« Comment était votre chat, aujourd'hui ? » fit-il lourdement.

Il s'attendait à nous voir pouffer de rire, je l'aurais parié. Et il renifla, le nez en l'air.

« A mon avis, les jolies femmes ne devraient pas entreprendre des études malodorantes, comme la zoologie, dit-il. Ne trouvez-vous pas que je suis un mari modèle, Miss Jones, pour tolérer que ma femme passe ses journées à couper en petits morceaux des chats crevés ? Enfin, tant qu'ils sont morts et qu'elle se montre une épouse aimante quand je suis à la maison... »

Et il se mit à rire.

J'étais là, interposée entre eux, et pourtant je venais à peine de faire mon entrée en scène, Karl avait ignoré mon existence jusqu'alors. Je n'aimais plus Mara maintenant que Karl était là. Elle se montrait si guindée, parlant d'une voix empruntée, trop aiguë, que je ne lui connaissais pas, essayant de faire lâcher prise à Karl en brodant sur le chapitre de mon bain, sur le fait qu'il n'y avait pas d'eau chez moi, que le gel avait fait éclater les conduites.

« Oh ! Seigneur, dit-il avec un sourire affecté en se tournant vers moi, pourquoi n'avez-vous pas cherché un logement convenable ? Mais il est vrai que c'est bien difficile à Londres, une sale ville, Londres. J'aspire à regagner le Continent. »

Et il se mit à discourir sur les maisons anglaises, si mal agencées.

Alors, je dis avec une certaine chaleur :

« C'est que nous sommes bombardés, vous savez. »

Et je me surpris à ajouter que oui, j'adorerais habiter un appartement comme le leur — Mara me jeta un regard torturé — et que Mara avait été si gentille de m'inviter à prendre un bain, que je leur étais très reconnaissante à *tous deux*, qu'ils avaient un appartement adorable et que ce devait être merveilleux d'avoir toujours de l'eau chaude, j'aimerais bien pouvoir en dire autant. Mais, tout en parlant, je sentais mon cœur qui battait la chamade comme si j'avais été en faute. Et Karl se frotta les mains et dit qu'il était heureux que je sois venue et qu'il espérait que je veillerais sur Mara, que je l'empêcherais de trop travailler.

« Je n'arrive pas à comprendre pourquoi elle tient à étudier la zoologie. Elle n'a nul besoin de travailler. Elle a un bon mari pour veiller à ce qu'elle ne manque de rien. Pourquoi, jolie comme elle l'est, peut-elle bien vouloir faire des études ? »

Mara dit, toute tendue :

« Mais tu t'en vas si souvent et je finis par m'ennuyer à ne rien faire. »

Cela semblait absurde et dérisoire et j'eus honte pour elle, en sorte que je m'arrachai à mon fauteuil en disant :

« Bon, il faut que je me trotte. »

Chacune de nos paroles, à tous trois, tombait mal à propos. Avec ce « que je me trotte », j'eus l'impression d'avoir dit une inconvenance.

« Bonsoir, Mara », fis-je.

J'ajoutais toujours : « A demain », quand je la quittais le soir ; mais, cette fois-ci, je m'abstins.

Et elle dit :

« Bonsoir, à demain à Horsham. »

Voulait-elle me faire entendre par là que je ne devais pas l'attendre au carrefour, le lendemain matin ? Elle avait les yeux dilatés et sombres quand elle m'accompagna à la porte, se contentant de la refermer sur moi. « Clic ! » fit la porte, et je me retrouvai dans l'ascenseur qui s'enfonçait, s'enfonçait, et mon cœur semblait sombrer avec lui ; puis dans la rue à l'odeur de neige reprise par le gel, une odeur qui me pénétra profondément tandis que j'inhalais une grande bouffée d'air.

Ainsi, me dis-je, c'est là son mari, Mr. Daniels. Karl. Ils vivent ensemble dans cet appartement. Je revis le grand lit et la magnifique courtepointe qui le recouvrait. Ils couchaient ensemble dans ce lit. Mara et cet homme. Cet homme affreux.

Je revoyais nettement Karl tout en rentrant chez

moi. Bien physiquement, blond, de beaux yeux, de belles mains. Le joli mari, vraiment ! Un soupçon d'accent à peine... il n'était pas anglais. Se donnant beaucoup de mal pour parler comme un Anglais. Et brutal jusqu'au fond de l'âme. Ça, j'en étais sûre. Je m'étais conduite comme une idiote, rougissant, bégayant. Après tout, quel mal y avait-il à ce que Mara et moi soyons amies ?

Puis j'arrivai chez Nancy et m'engageai dans l'escalier. Andy le descendait, son écharpe rayée d'hôpital autour du cou. Il l'avait achetée d'occasion à son frère, à présent dans la R.A.F. Pantalon de velours côtelé, duffle-coat, écharpe d'hôpital et, pour couronner le tout, une petite moustache raide. Le petit garçon essayant de copier son grand frère...

« Hum... Mumm... — Andy s'immobilisa — Où as-tu déniché ça ? Au marché noir ? Ça sent comme Fifi. »

(Fifi était vraisemblablement une invention d'Andy, une Française des Forces de la France Libre, amoureuse de ses charmes virils. Je n'avais jamais pris la peine de tirer la chose au clair.)

« Lâche-moi, Andy. Bas les pattes !

— Ben alors, ce qu'on prend des grands airs ce soir ! Allons, viens, j'allais justement faire un tour au bar. On rigolera. »

Il cligna de l'œil.

« Non, merci.

— Oh ! voyons !... »

Il se pressa contre moi, furetant de sa moustache.

« Viens donc.

— Non, non.

— Oh ! écoute, ma vieille, sois chic, comme la dernière fois, tu te souviens ? Tu en as besoin, tu sais.

— Espèce de... »

Je le repoussai de toutes mes forces contre le mur, où il se cogna la base du crâne. Il me lâcha, étonné de ma violence.

Je montai en courant dans ma chambre, claquai la porte, la verrouillai, sachant pourtant qu'Andy ne viendrait pas. Je n'avais pas vraiment peur de lui. Un idiot d'étudiant en médecine se vantant de ses aventures avec une Française... Je lui avais cédé deux ou trois fois, par curiosité et parce qu'il me disait : « Oh ! voyons, sois chic ! » et qu'il jurait de faire attention, et parce que moi, j'avais envie de me montrer chic et large d'esprit, je ne tenais pas à passer pour sotte et vieux jeu. Et aussi je brûlais de savoir à quoi ça ressemblait. Je veux dire qu'on finit par avoir envie de comprendre pourquoi les gens font tant d'histoires à ce sujet. Mais je n'avais rien ressenti, ni plaisir ni déplaisir.

C'est drôle de penser à Andy tel qu'il était à cette époque, alors qu'il a pris un genre si convenable. C'est un autre homme, maintenant ; il engraisse, tient à être bien habillé. Nous sommes mariés et je suis habituée à lui. Nous ne parlons pas du passé. Pourquoi le ferions-nous ? Andy ne s'est jamais douté de rien au sujet de Mara. C'est une raison de plus pour que je ne l'aime pas ; il ne saura jamais ce que je *peux* ressentir, à quel point je *peux* aimer... Il n'en a pas la moindre idée. Et bien qu'il m'offre la sécurité, je sais que je le quitterai un jour, que je renoncerai à cette sécurité, à ce gâchis, plutôt.

Je m'attendais à trouver Mara différente le lendemain matin. Pourtant pourquoi aurait-elle changé ? Parce que moi, j'avais vu Karl ? Il rentrait chez lui chaque soir, n'est-ce pas ? Cet appartement était leur foyer. Ce lit...

J'étais mal à l'aise lorsque j'entrai sans me presser au vestiaire et bavardai, en attendant Mara, avec la Toupie qui nettoyait les lavabos. J'avais un poids sur le cœur ; je désirais voir Mara, voir son sourire ; j'aspirais aussi à me disputer avec elle, à lui dire des choses dures, blessantes.

J'étais toute tendue, la sensibilité à vif, lorsque son parfum me parvint. Louise faisait toujours des plaisanteries aigres-douces sur le parfum de Mara. Il s'annonçait de loin, emplissait le vestiaire ; nous le humions toutes, délibérément ou inconsciemment.

« Seigneur, cette odeur ! » disait Louise, en rejetant ses cheveux en arrière d'un coup de tête et en roulant des yeux. Même au labo, où l'odeur des préparations nous irritait la gorge, nous surprenions des bouffées du parfum de Mara. Eggie devait l'avoir en horreur, mais il ne lui aurait servi de rien d'écrire un avis au tableau noir.

Mara s'arrêta près de moi, lumineuse, comme baignée de soleil, de petits anneaux d'or aux oreilles.

« Où comptes-tu aller, ma vieille ? Encore déjeuner avec la duchesse ? »

C'était une de mes invariables plaisanteries lorsque Mara arrivait à Horsham en grande toilette.

Une mince couche de gaieté lui recouvrait le visage, comme un fond de teint... et déjà cette ride du sourire au coin de la bouche, traçant un sillon à la signification incertaine puisque la joie utilise le même signe que le chagrin. Et je pensai que ce visage était pour moi l'incarnation même du bonheur... L'était jusqu'à ce que je le perde et que cette perte me ronge lentement, causant des ravages, comme une brûlure de cigarette qui s'étend. Oh ! Seigneur, dire que pendant des années je vais peut-être continuer ainsi, désirer sans cesse voir son visage, jusqu'à cette heure affreuse où tout se brouille, où souffrance et joie n'existent plus, où tout est comme si rien n'avait jamais été...

« Pas une duchesse. Des amis. Des gens bien, pour une fois. Nous les avons invités à déjeuner au Hungaria. »

Nous. Cela signifiait Karl. « Mara est mariée. Elle a un mari. Cela détruira toute amitié que nous pouvons avoir l'une pour l'autre si je me laisse obséder par Karl. Je n'aime pas Karl. Mais Mara l'aime certainement, elle. C'est bien naturel qu'elle soit heureuse de sortir avec des amis et son mari. Me laissant seule à l'heure du déjeuner. »

« C'est très bien, dis-je. A propos, j'ai un rendez-vous, moi aussi, ce soir. Je ne pourrai pas te raccompagner.

— Oh ! Red, c'est trop dommage », dit-elle.

Mais elle ne parut pas malheureuse. Je n'avais réussi qu'à me faire du mal à moi-même.

Nous enfilâmes nos blouses blanches. Je souffrais dans tout mon être de la présence de Mara parce que maintenant je sentais en elle quelque chose qui me demeurait inaccessible, quelque chose que je souhaitais détruire. Je désirais rester avec Mara, non être laissée de côté comme cela, à cause d'un ménage ami et d'un déjeuner ; à cause de son mari, de son autre vie, d'amis avec lesquels elle sortait en grande toilette. Elle ne se faisait jamais belle pour moi. De quoi aurions-nous l'air, si je l'invitais à déjeuner au Hungaria. Deux femmes ensemble, bizarre...

Je regardai ses boucles d'oreilles, et je me sentis fondre intérieurement, fondre et devenir toute tremblante. J'avais envie de les toucher, et puis je dus fourrer mes mains au fond de mes poches parce que, soudain, je venais de m'apercevoir que j'avais aussi envie de les lui arracher des oreilles. Elle pleurerait alors. Je voulais la voir pleurer, très fort.

Mara irait déjeuner en ville ; elle n'occuperait pas sa place à notre table, à la cantine, elle ne reviendrait pas avant le cours de trois heures de l'après-midi, et trois heures de l'après-midi, c'était terriblement loin.

Elle semblait pleine d'entrain. Nous avions cessé de disséquer, mais nous examinions des coupes et des os. Puis Mara disparut.

Durant le déjeuner, je les détestai, Karl et elle. La veille, je l'avais crue terrorisée par Karl, mais je m'étais bigrement trompée. Elle n'était pas le moins du monde terrorisée. Elle aimait Karl. Je ne comptais pas pour elle, sauf quand ça l'arrangeait. Karl était son mari ; ils vivaient ensemble dans cet appartement tiède, luxueux. Elle l'y attendait, et alors ils sortaient ensemble pour rencontrer des gens sensationnels. Karl rentrait le soir pour faire l'amour avec elle ; et, pour lui, Mara mettait de petits anneaux d'or à ses oreilles.

A trois heures de l'après-midi, je m'assis avec Louise dans l'amphithéâtre ; et il n'y avait plus de place pour Mara dans notre rang, quand elle arriva quelques minutes après qu'Eggie eut commencé son cours. Louise se mit à ricaner. Elle était heureuse d'être raccommodée avec moi, je lui avais dit que je la raccompagnerais chez elle, ce soir-là. Mara nous aperçut, je crois, mais elle garda un visage impassible et se mit à longer les gradins sur le côté, jusqu'à une rangée supérieure. Eggie s'arrêta de parler. On entendit les talons de Mara claquer sur les marches.

Nous cessâmes toutes d'écrire pour regarder Mara qui gravissait les marches sur ses talons hauts, et dans l'attente de quelque remarque cinglante d'Eggie, une remarque que nous pourrions répéter et commenter par la suite. On souriait, on se carrait sur les bancs. « Elle va voir ce qu'elle va prendre. » Toutes, nous attendions qu'Eggie crible Mara de flèches et que coule le sang. Nous n'étions pas vraiment méchantes ; mais des filles à peine sorties de pension, cruelles parce que nous étions en groupe, savourant à l'avance le plaisir de la meute devant la souffrance d'un seul, ou simplement jouissant d'un répit dans notre ennui, dans le ronronnement de la voix d'Eggie.

Eggie continuait à se taire, mais son visage se congestionnait lentement tandis qu'elle regardait Mara.

« Oh ! ma vieille, attends voir un peu maintenant ! » marmotta Louise, rayonnante.

Je baissai la tête et fis semblant de lire mes notes. Je me sentais mal en point et pourtant heureuse, en un sens. Voilà qui apprendrait à Mara à aller se promener avec des boucles d'oreilles en or.

Mais rien ne se passait. Je dus lever les yeux pour en chercher l'explication. Mara était assise, seule, au sommet des gradins, son stylo à la main, regardant Eggie avec un sourire pensif, presque tendre. Ses yeux ne lâchaient pas Eggie ; et, l'air prête à suffoquer,

Eggie la dévisageait. Puis elle soupira, baissa les paupières et reprit son cours.

Nos stylos grincèrent de plus belle, suivant la voix d'Eggie, précise et sèche. Louise faisait courir sa plume, couvrant régulièrement les feuillets de son écriture impeccable ; elle serrait un peu trop fort la tige de son stylo.

Je n'avais plus qu'à attendre Mara après le cours, à l'attendre près de notre casier, consentante, patiente, prête à m'incliner devant sa force : car, en nous tous, existe cette soumission à celui qui a su gagner notre respect ; la façon dont les autres s'écartaient pour laisser passer Mara, baissaient imperceptiblement la voix, même si elles affectaient de ne pas remarquer sa présence, le proclamait aussi. Mara était quelqu'un, désormais. Elle nous avait toutes battues, nous avait fait ravaler ce sadisme tenace, complaisant qu'éveillent toujours en nous ceux qui ne sont pas comme les autres, mais elle avait du cran et j'étais fière d'elle, plus encore qu'après l'examen.

« Puis-je te raccompagner ? dis-je.

— Et ton rendez-vous ?

— Il est remis, dis-je, mentant.

— Très bien », fit-elle.

Mais il n'y avait aucun triomphe dans sa voix. Elle semblait lasse, elle avait la mine d'une enfant battue. Elle ne me parla pas d'Eggie, ni de son retard au cours, mais je découvris peu après qu'elle était allée s'excuser auprès d'Eggie. Et, en un sens, ce ne fut pas une surprise pour moi de voir que, dès cet instant, Eggie se mit à apprécier Mara, cessa de lui parler zoologie, rien que zoologie, et lui sourit parfois d'un sourire rapide, vite éteint.

L'hiver de Londres se fit plus rude. Le froid régnait en permanence, et les ténèbres, le soleil ne se montrant jamais dans un brouillard de vingt-quatre heures d'horloge, où la pénombre succédait à l'obscurité, et l'obscurité à la pénombre, et ainsi de suite. Pourtant ce fut pour moi une période ensorcelée, comme je n'en avais jamais connue, comme je n'en connaîtrais plus jamais. Oh ! hiver de paix et de bonheur, solstice de mes jours... un cercle d'heures magique s'enroulant dans une obscurité impénétrable. Je suis sortie de ce cercle enchanté, j'ai continué à vivre, mais sans plus rien vouloir fortement. Si l'on me demandait à présent ce que je désire dans la vie, je dirais : « Le bonheur, je suppose », et je me hâterais d'ajouter : « Mais je suis parfaitement heureuse, vous savez... un mari, un enfant... » Pour peu que je dise la vérité, que leur existence à tous deux, leur présence autour de moi, n'a guère plus de signification à mes yeux que des tombes d'inconnus dans un cimetière municipal, que seul un certain hiver existe pour moi, net et limpide, tout palpitant de vie, et que le reste est terne, sans forme, inconsistant, je me ferais taxer de bizarrerie. Ce n'est que lorsque j'en reviens en pensée à cet hiver de Londres, que je me sens vraiment vivante au lieu de savoir simplement que je vis. Là, dans le souvenir de ce passé révolu, les battements de mon cœur s'accordent aux pulsations passionnées de mon sang, je me promène de nouveau avec Mara dans le soir, qui est la nuit, tenant à la main une lampe torche dont le verre voilé laisse tomber un petit cercle jaunâtre à nos pieds, et je sais ce que c'est que l'amour, ce que c'est que désirer mourir d'amour. Il en est encore ainsi, et pourtant je suis mariée et j'ai un enfant.

Nous parlions beaucoup, Mara et moi ; pas de nous-mêmes, au début, mais de livres, des gens, de paysages et d'idées... puis, par la suite, de plus en plus souvent, de nous-mêmes. Je pouvais discourir sans fin, et c'était comme de me retrouver enfant, d'être réconfortée, nourrie, jamais fatiguée. Mais je ne me souviens pas très bien de nos paroles ; en fait, j'aurais peine à citer un seul propos de Mara, alors que sur le moment tout paraissait si important et si clair. Je me rappelle mieux nos promenades à deux, le bruit de nos pas, les rues, un ciel hanté d'invisibles ballons, l'oubli de l'hiver et du froid. A présent, dans mes rêveries, cela se change en une promenade au milieu d'un vaste paysage inondé de soleil, sous des arbres qu'aucun vent n'agite, dans une prairie tranquille. A l'époque, le sentiment de ce qui nous entourait pénétrait parfois notre conscience : un crissement d'autobus, le grondement du métro, le frémissement de la pierre sous les pieds ; des passants se hâtant, dos courbés, le bruit de leurs pas marquant le désir de gagner un salon de thé, d'attraper un autobus, d'être à l'abri du froid. Mais nous, nous étions prisonnières d'un mutuel enchantement et nous nous attardions dans les rues glaciales, à marcher dans un printemps adorable, insouciantes, oublieuses, sauf par à-coups, de tout ce qui se passait autour de nous.

D'autres hivers, je me rappelle surtout ce qu'ils avaient de déplaisant, comme c'était désagréable et pénible de se lever, de grelotter, de prendre des autobus bondés ; l'odeur de pieds sales, de mauvaises haleines, de fumée refroidie qui régnait dans le métro ; mes mains abîmées par les engelures, des vêtements glacés et raides de crasse. Mais, quant à cet hiver, l'hiver de Mara, je continue à en sentir la substance essentielle, son poignant bonheur semblable à une souffrance, son flamboiement extatique, qui demeure, malgré ce que nous nous sommes fait l'une à l'autre ; et bien que j'aie tenté de l'étouffer.

Quoi qu'il soit arrivé, cet hiver enchanté demeure, dont les merveilleux échos me hantent et me font mal. En ces jours les plus courts de l'année, alors que rien n'avait commencé et que rien n'était fini, toutes les routes de la vie étaient vivantes et le temps palpitait autour de moi comme un cœur.

Je me souviens de petits, de délicieux fragments de cet hiver, arrachés aux ténèbres et à l'oubli. Mara me disant un jour, alors que nous quittions Horsham : « Est-ce que tu portes toujours un pantalon ou une jupe, et cette veste de cuir ? » Et moi : « Toujours. Je n'ai pas assez chaud autrement. » Je me souviens que le premier jour je lui avais montré où pendre son manteau : « Si vous voulez avoir un cintre au vestiaire, écrivez votre nom dessus et prévenez la Toupie. — Pourquoi écrire mon nom ? me demanda-t-elle. — Parce qu'on vous chipera le cintre, sinon », dis-je. Notre casier, je me le rappelle si bien, ce casier, celui que Louise avait retenu pour moi et que j'avais proposé à Mara de partager avec moi. Je l'avais muni d'un fort cadenas dont nous avions chacune une clef, Mara et moi. Et tout son contenu ne tarda pas à être imprégné du parfum de Mara. Un jour que Mara voulait partir de bonne heure (Karl avait invité des gens, ou quelque raison de ce genre), voilà que, bien entendu, elle avait laissé sa clef chez elle. Je lui prêtai la mienne et, au lieu de me la rendre, elle l'emporta. Le lendemain, elle arriva sans clef, et je dus passer un bon moment à dévisser le cadenas, tandis que debout près de moi, Mara, tour à tour, semblait désolée et riait comme à une bonne plaisanterie. Moi, j'étais furieuse, et pourtant je ne faisais que l'aimer davantage, tout le temps, et maintenant les doigts me brûlent d'amour inutilisé, tandis qu'en pensée je recommence à dévisser le cadenas, que mes oreilles retentissent de nouveau de ce rire : « Oh ! Red, tu es si adroite ! »

Notre premier déjeuner ensemble à la cantine. Brouhaha des voix, ragoût de bœuf, pudding aux raisins secs. Au début de chaque trimestre, la nourriture était bonne, généralement. Je regardais manger Mara. J'étais déjà amoureuse d'elle. Dès la première minute.

Cependant, à certains moments, j'avais l'impression que Mara était comme un sortilège qu'on m'aurait jeté, quelque chose dont il me fallait m'affranchir. J'étais ensorcelée, mais aussi effrayée. Elle me dominait, et cela me déplaisait. En écrivant ceci, maintenant, mon exaltation d'autrefois me revient, de même que mon ancienne haine et mon ancien désir de blesser. Il n'y a pas de sortilège à briser, et pourtant je ne suis pas encore délivrée de cet amour ni de cette haine, souvenirs-vampires qui pompent, pour s'en nourrir, une signification à chacune des heures de ma vie passée, souvenirs d'amour, vifs et doux, et que rien ne remplacera jamais. Parfois, j'ai envie d'être délivrée de cet hiver ; et pourtant, pourtant, je donnerais n'importe quoi pour revoir Mara.

Un après-midi de congé, nous promenant, je lui dis brusquement :

« Quelquefois, je me sens liée à toi, j'ai l'impression que tu me traînes derrière toi comme un petit chien en laisse. »

Tandis que je parlais, nous vîmes surgir un petit pékinois triomphalement libre, traînant sa laisse derrière sa queue en panache. Le fou rire s'empara de nous.

« Red, dit-elle, ce n'est pas vrai. Peut-être que c'est toi qui me traînes derrière toi, mais ça m'est bien égal. »

Nous allions au cinéma quelquefois — voir des films de guerre remplis du hurlement déchirant des moteurs d'avion et de l'aboiement infernal des mitrailleuses. Je me rappelle en particulier un film dans lequel, à un certain moment, un *commando* anglais tuait à la baïonnette un soldat allemand. La lame s'enfonçait avec bruit ; et bon nombre de spectateurs laissèrent échapper un soupir qui marquait à la fois l'écœurement et le plaisir. Mara se leva pour quitter la salle.

« Je ne peux pas supporter ça, dit-elle. C'est horrible.

— Mais tu sais bien qu'il faut la faire, cette guerre, Mara. Ce sont les Allemands qui sont horribles. Hitler est un monstre.

— Je sais, dit-elle, mais ça ne me plaît pas davantage pour autant. La guerre n'est pas une nécessité ou, sinon, que les politiciens se battent en duel, ce serait plus propre. »

Cela me parut puéril et terriblement romantique, en même temps que pas très patriotique, mais ça n'avait pas d'importance, ça non plus. Mara n'était pas comme les autres.

Un jour, je lui posai la question que j'avais depuis longtemps sur les lèvres.

« Mara, pourquoi ton mari n'est-il pas mobilisé ? C'est un personnage important, ou quoi ?

— Karl ? Oh ! il est... »

Sa voix prit une résonance sourde :

« Karl a la nationalité suisse. Il est neutre. »

Ensuite elle ajouta :

« Ne parlons pas de lui. »

Mais j'insistai, voulant lui arracher quelque détail concernant sa vie avec Karl.

« Enfin, tout ce que je peux dire, c'est que tu as de la chance d'avoir ton mari près de toi, par le temps qui court.

— Oh ! Karl n'est pas là tout le temps, dit-elle. D'ailleurs, je n'aime pas les hommes. »

Ce jour-là, je me sentis beaucoup plus heureuse, plus libre, comme si je venais de franchir une frontière. Je ne craignais plus Karl. Mara ne l'aimait pas. J'aurais aimé me trouver dans leur appartement, en train de toiser Karl comme il m'avait toisée. Cette fois-ci, je n'aurais pas été intimidée, je n'aurais pas bégayé. Mara n'aimait pas les hommes. Cela englobait Karl. Mais, si elle ne l'aimait pas, pourquoi donc l'avait-elle épousé ?

Je n'avais pas revu Karl. Une quinzaine de jours après ma première visite, Mara me proposa de monter de nouveau chez elle. Je dis : « Non, ce n'est pas la peine », pourtant, bien entendu, j'avais envie d'y aller. Mais, finalement, Daphné nous accompagna, elle aussi, et prit un bain. Mara l'avait entendue se plaindre de l'état des conduites d'eau chez elle, et lui avait demandé de venir aussi.

« Tu es terriblement, terriblement généreuse », dis-je à Mara.

La présence de Daphné, dont je ne voulais pas, m'avait mise de mauvaise humeur. J'étais fâchée contre Mara qui l'avait invitée si négligemment. Mais Mara était maintenant très aimée à l'Ecole. Daphné rampait positivement devant elle, tout en ayant

37

l'adresse de ne pas l'accaparer, de ne pas l'inviter à sortir ni de la relancer : elle savait comment j'aurais réagi.

Après avoir pris un bain, nous nous installâmes dans le confortable salon, pour boire du café et manger des rôties beurrées, et je vis alors Karl pour la seconde fois. Il entra, juste au moment où Daphné se lançait dans une de ses interminables histoires sur sa tante, qui était *terrible*, un *vrai numéro*. Karl fit preuve d'excellentes manières. Ce jour-là encore, il s'efforça de dire tout ce qui s'imposait, mais, dans sa bouche, cela paraissait extravagant, malgré les petits rires bêtes de Daphné qui disait : « Oh ! Mr. Daniels ! » Il offrit un peu de porto à Daphné, en lui disant qu'elle avait des yeux bruns comme le porto. Après cela Daphné fut entichée de Karl autant que de Mara ; et elle parlait d'eux comme « d'un couple adorable, tellement intellectuel ». Daphné est maintenant en Afrique, directrice d'une école.

Quelques jours plus tard, Mara me dit : « Tu viens à la maison avec moi ? » et je la suivis. Karl était déjà là, et je crus comprendre que Mara n'avait pas compté sur sa présence. Elle était tendue ; elle avait la bouche figée dans un sourire, un regard aveugle, qui ne me voyait pas. Karl se lança dans une assommante conversation sur la littérature, la peinture et la musique. Il me démontra que je n'y connaissais pas grand-chose, puis il se frotta les mains, regarda Mara et fit une plaisanterie sur ses études de zoologie :

« Je crois qu'elle aimerait me disséquer, moi aussi, comme un crapaud. »

Il poursuivit sur ce ton, et je compris que ma présence lui pesait, qu'il désirait être seul avec Mara ; mais je savais aussi que Mara ne voulait pas que je parte. Et moi, je n'avais aucune envie de m'en aller, je tenais à rester avec Mara, rien que pour l'ennuyer, lui.

Enfin, il y eut un silence ; et Karl, ce qui était très impoli de sa part, dit :

« Il se fait tard, dois-je vous raccompagner ? »

Et moi, je m'écriai donc, en affectant la surprise :
« Grands dieux ! je ne savais pas qu'il était si tard.
Il faut que je me trotte. »

Cette fois, Karl me pilota vers la porte, prit l'ascenseur avec moi. Dans la cabine, il ne m'adressa pas la parole et garda les yeux baissés. Puis il me dit :
« Bonsoir ! », me serra la main ; la grille de l'ascenseur claqua, puis j'entendis Karl ouvrir la porte de l'appartement — leur appartement — et la refermer à toute volée.

Et je me sentis de trop, laissée de côté. La jalousie m'enserra de sa main de fer, une douleur lancinante me prit au côté, me coupant le souffle. Par moments, elle s'atténuait un peu, mais je la sentais là, elle ne cessait pas. Karl et Mara. Mara et Karl. Au cours de la nuit, je m'éveillai, brûlante et glacée, d'un rêve dans lequel Karl, Mara et moi, nous nous cachions et nous pourchassions ; mais lequel de nous pourchassait les autres, je l'ignorais. Tout était embrouillé. Et là, couchée dans l'obscurité, le passé, ainsi qu'il arrive toujours la nuit, se mit à me revenir, haïssable, âcre comme des matières vomies, et j'essayai en vain de me rendormir.

Deux jours plus tard, nous eûmes une querelle, violente, mais nous nous réconciliâmes rapidement. Je ne me rappelle pas comment cela avait débuté, je sais simplement qu'une fois lancée je fis la remarque que ce devait être bien agréable d'être entretenue. Mara ne me répondit pas ; elle me regarda, puis détourna les yeux. Alors je lui en dis de toutes les couleurs, je lui dis des choses horribles dont j'aime mieux ne pas me souvenir. Elle continua à ne pas me regarder. Je me tus, pour reprendre :

« Bon, il faut que je rentre. Je ne peux pas lambiner aujourd'hui, j'en ai peur. J'ai autre chose à faire. »

Et j'essayai de m'éloigner de Mara, de cette silencieuse Mara ; de la fuir, mais ce n'était pas possible. Ainsi, je restai plantée là, dans la rue glaciale, par-

tagée entre le désir de m'en aller et celui de rester.
Enfin, je dis :

« Oh ! Mara, quelle sacrée idiote je fais ! »

Et elle me dit :

« Mais, Red, pourquoi faut-il toujours que tu
essaies de cogner sur les choses et sur les gens ?

— Je ne sais pas », dis-je.

Et ainsi nous nous réconciliâmes.

Puis Andy recommença à me faire des avances. Il
bûchait ferme en vue de ses derniers examens et cela
le retenait davantage dans sa chambre chez Nancy.
Vers minuit, il venait gratter à ma porte. Je m'enfer-
mais à clef chaque soir. Et le lendemain matin il
faisait tout haut des réflexions sur les vieilles filles.

Un jour, Mara me dit :

« Karl est parti passer une semaine sur le Continent. Viens chez moi. »

Ce même soir, je montai donc avec Mara dans
l'appartement et nous prîmes du café avec des tar-
tines grillées et des œufs, en riant beaucoup ; et nous
fûmes heureuses, merveilleusement heureuses.

« As-tu peint d'autres tableaux ? » demandai-je.

Elle me dit que oui, mais ne m'offrit pas de me les
montrer. Et je ne demandai pas à les voir.

« Je ferai ton portrait un jour, Red, dit-elle.

— Merci, fis-je. Ce sera une bonne plaisanterie. »

Elle s'assit en face de moi et entreprit de faire un
croquis, cependant, quand je voulus le voir, elle ne
me le montra pas.

« Une autre fois », dit-elle.

Mais je ne l'ai jamais vu.

Pendant ce voyage de Karl, Mara me parla de lui.
Et il me fut évident qu'elle ne l'aimait pas.

« En fait, c'est une sorte de Seigneur du Marché
noir, mais du genre respectable. Il parcourt l'Europe
libérée pour y amorcer des affaires. »

Elle eut un bref sourire.

« La reconstruction démocratique de l'Europe. La
France est pleine d'affairistes, américains pour la plupart, déguisés en colonels ou en généraux, avec des

brochettes de médailles étagées sur la poitrine. Et les hommes du genre de Karl font des affaires avec eux. Ils appellent ça « remettre les choses à flots ». Cela tient Karl très occupé. »

Tant que dura l'absence de Karl, j'allai tous les soirs chez Mara et j'y restai de plus en plus tard. Il y avait une jolie cuisine et de bonnes choses à manger, des artichauts de Jérusalem, par exemple, ou des pêches au sirop, conserves de luxe qui coûtaient les yeux de la tête ; et des œufs frais proyenant de la propriété d'un ami de Karl.

« Un fameux frichti », dis-je à Mara.

Mara se mit à rire sans pouvoir s'arrêter. Je la faisais toujours rire lorsque j'employais cet argot devenu courant à Horsham, maintenant que c'était la mode. Mara ne s'en servait jamais, mais elle riait de m'entendre, et cela me donnait bonne opinion de moi-même.

Mara était vraiment extravagante, elle jetait des boîtes de conserve encore à moitié pleines. Un jour, je récupérai quelques anchois qu'elle avait mis à la poubelle.

« Ce que tu peux être économe, Red ! fit Mara en riant. Moi, je n'aime pas les restes, voilà tout.

— Nous sommes en guerre », dis-je, caustique.

Et Mara fit : « Oh oui ! » d'un ton coupable et par la suite elle se montra moins gaspilleuse.

Mais le mot économe me blessait parce que j'avais déjà été traitée de quelque chose d'approchant par ma belle-mère. Pourtant, économe, avec Mara, Dieu sait si je ne l'étais pas ; je ne voulais pas l'être.

Mais à part ces conserves de luxe, il n'y avait pas grand-chose de consistant à se mettre sous la dent.

« Nous mangeons très souvent en ville, Karl et moi », me dit Mara.

Elle ne se donnait guère la peine de faire de la cuisine, mais quand l'envie lui en prenait, c'était un vrai festin. Un jour, nous achetâmes une oie, lorsqu'on mit des oies en vente, juste avant Noël. Cela coûtait les yeux de la tête. Mara la fit rôtir au four, et nous en mangeâmes autant que faire se pouvait ; mais il y en avait beaucoup trop et, au bout de deux jours, elle donna le reste à la femme de ménage.

Je fus horrifiée.

« Il y avait de quoi nourrir une famille toute une semaine.

— Eh bien, et la famille de la femme de ménage ? » répliqua-t-elle.

Aller de l'appartement de Mara à la pension de famille de Nancy, c'était quitter un monde pour un autre, mais je n'étais pas jalouse de la vie confortable de Mara. J'étais ravie et fière d'avoir une amie aussi riche. Moi-même, je comptais bien avoir de la fortune un jour : mon père m'avait laissé de l'argent, dont je devais entrer en possession à ma majorité. En attendant, on me versait une pension. Puis il y avait tante Muriel. Tante Muriel disait toujours qu'elle me laisserait tout ce qu'elle avait. Et j'avais une grand-tante dans le Nord ; elle était un peu bizarre et il se pouvait qu'elle laisse tous ses biens à un asile pour chats ou pour chiens, aussi je n'y comptais quand même pas trop pour moi. En attendant, je vivais plutôt comme un cochon. Il me fallait faire attention, avec l'argent, on ne savait jamais ce qui pouvait arriver, et je mettais de côté un tiers environ de ma pension pour le cas où j'en aurais eu besoin un jour. Mais cette façon qu'avait Mara de prendre des taxis, d'acheter des livres, de fréquenter des endroits hors de prix... Tout ce qui lui appartenait était coûteux. C'était un plaisir pour moi, cependant, de me dire que j'avais une amie riche. Je ne la savais pas capable de renoncer à l'argent et au confort aussi facilement qu'on perd un mouchoir (et elle perdait toujours ses mouchoirs). Elle m'éblouissait un peu ; on ne m'avait pas habituée à cette façon de dépenser sans compter.

De l'appartement de Mara, je rentrais à la pension de famille de Nancy par l'autobus, puis par le trolley-bus, qui remontait vers Camden Town, un long, long trajet. Mara m'accompagnait parfois. La statue de Cobden se dressait, menaçante, dans l'obscurité, comme pour nous barrer le chemin. Je n'avais jamais entraîné Mara au-delà. Une fois que nous l'avions atteinte, nous prenions un autobus qui nous ramenait à Mayfair.

« Il y a encore un bon bout de chemin, lui dis-je, un jour qu'elle me demandait si j'habitais près de Cobden. C'est bien plus loin, et il n'y aurait pas de dîner pour toi au bout, j'en ai peur. Il faut que tu rentres dîner chez toi, ce qui veut dire que je vais te raccompagner », fis-je moitié plaisantant, moitié sérieusement.

Je n'avais pas envie qu'elle voie où j'habitais.

Après Cobden, il y avait encore quatre cents mètres, longue rangée de maisons déprimantes, dont l'une était celle de Nancy. Les maisons étaient toutes semblables, anguleuses, étriquées comme des vieilles filles, étroites et d'une architecture qui, ainsi répétée, devenait hallucinatoire. Même par les belles journées, les façades exprimaient un découragement muet. Les fenêtres, à en juger ce qu'avait d'irrémédiablement rebutant leur aspect lugubre, n'étaient pas destinées à accueillir l'air et la lumière. Dans toutes les maisons devait régner la même odeur que dans celle de Nancy, où le couloir au lino noir d'usure, le passage menant à la salle à manger en sous-sol, l'escalier desservant les chambres du premier et du second étages et le grenier, tout empestait la cigarette refroidie, le chat, la crasse, le chou et la poubelle.

C'était chez Nancy, naturellement, que logeait Edward, le voyageur de commerce, jadis fervent professeur de gymnastique à la Y.M.C.A. Il était myope comme une taupe, en sorte que l'armée n'avait pas voulu de lui. Il sentait la sueur, même après un bain, et la salle de bain sentait également la sueur, parce qu'il y faisait des mouvements de gymnastique suédoise avant d'utiliser la toilette. La conversation d'Edward roulait uniquement sur le sujet de ses muscles et de ses habitudes régulières, sans laxatif à l'appui. A cause d'Edward, j'avais renoncé à me servir de la salle de bain principale, le matin, et j'attendais que soit libre le petit w.-c. tout en haut de la maison. Il y avait Andy, fils d'un évêque des colonies et boursier de Médecine coloniale grâce aux relations de son père, évêque à Singapour. Andy n'honorait pas toujours de sa présence la table commune couverte d'un lino. Ses absences fournissaient à Nancy et à Edward l'occasion de plaisanteries compliquées mais pas le moins du monde obscures : en gros, Andy était un « fameux loustic », ce qui sous-entendait qu'il avait été passionnément aimé par une Russe blanche et qu'il était à présent en butte aux avances d'une Française des Forces de la France Libre, qui se serait jetée pour lui sous le premier trolleybus venu. Je ne croyais pas à l'existence de cette femme, et je persiste à n'y pas croire, connaissant Andy. Edward était de temps à autre l'amant de Nancy, lorsqu'elle se sentait assez bien entre deux crises d'acidité gastrique, et qu'elle oubliait de se lamenter sur la guerre ou sur les frasques de Winston Churchill, le chat, ainsi nommé sur de fausses apparences et qui demeurait Winston après avoir eu six fois des petits, Nancy estimant qu'il ne serait pas patriotique de le débaptiser. Nous tous, les pensionnaires, nous détestions Winston, mais nous étions désarmés contre lui, jusqu'au jour où Nancy, après avoir soulevé le pot du lait pour l'éloigner de Winston qui l'effleurait de sa queue, s'écroula soudain sur le sol avec un grand cri. Un de ses ulcères s'était ouvert. On la transporta à Saint-Thomas parce que Andy prit les choses en main, on l'opéra sur-le-champ, et elle revint au bout de six semaines. Durant ces six semaines, nous nous débrouillâmes tout seuls, nous chargeant à tour de rôle de la cuisine. Ce fut à ce moment-là qu'Andy s'attaqua à moi, et que je le laissai faire. Nous avions lavé la vaisselle ensemble, et puis nous étions allés boire un peu de bière dans un bar ; et ensuite cela n'aurait pas paru franc jeu de refuser.

Avec Nancy revint Winston. Nous l'avions exilé durant les repas, mais, après le retour de Nancy, il se remit à bondir parmi nos assiettes et l'on revit des poils de chat flotter comme une écume sur le pot de lait matinal.

C'était là que je vivais. J'y étais habituée, mais je ne voulais pas que Mara y vienne. Jusqu'alors je m'étais plu dans ma piaule parce qu'elle me coûtait moins que rien ; mais, maintenant que je connaissais le cadre dans lequel vivait Mara, je me mis à rêver de quelque chose de mieux pour moi. Un logement où je pourrais recevoir Mara. Mes moyens me le permettaient.

Je me sentais désormais dans l'obligation de prouver à Mara que je n'étais pas si économe que ça. Si le le mot m'avait froissée, c'était surtout à cause de ma grand-tante, là-haut dans le Nord ; elle avait la réputation d'être une vraie pingre et je ne tenais pas à lui ressembler. Déjà, ma belle-mère s'était constamment moquée de moi, disant que je regrattais sur tout, parce qu'un certain temps j'avais mis de côté tous les bouts de ficelle qui me tombaient sous la main pour les attacher et en faire un gros peloton.

Je regagnais ma piaule, dans Camden Town, et chaque fois que l'odeur du couloir me frappait en plein visage, je me disais : « Il faut que je me trouve un autre logement. Un logement où je pourrais recevoir Mara. »

Un après-midi de la mi-décembre, il fit soudain plus doux, plus clair. A quatre heures, laissant derrière nous Horsham, nous nous mîmes à flâner comme en plein printemps.

« Si nous allions chez Maggie ? » suggérai-je.

Maggie tenait un petit salon de thé au bout de Saint Jame's Street. Avant la guerre, on y trouvait des buns et des cakes merveilleux, mais à présent on n'y servait plus que des *périls jaunes*, sorte de brioches faites avec des œufs en poudre et décorées de pseudo-graines de carvi. J'aimais l'endroit parce qu'on y était bien malgré la guerre. Maggie, une grosse femme à la voix aiguë et lasse, aux jambes affligées d'énormes varices noueuses, s'occupait elle-même des clients. C'était Louise qui m'avait entraînée chez Maggie pour la première fois ; mais maintenant j'y emmenais Mara, et Louise ne m'y accompagnait plus.

Nous arrivions de bonne heure. Il n'y avait encore personne chez Maggie ; les employés de bureau n'avaient pas encore cessé le travail. Il faisait chaud dans le petit salon de thé baigné d'une lumière presque verte, une clarté liquide, sous-marine, venant de la grande baie aux vitres en verre à bouteille. C'était merveilleux de s'étirer les jambes, assise près de Mara — aussi agréable que d'être chez elle : on se sentait submergée, enveloppée, flottante, tranquille et souple comme une algue. Là, dans cette eau de mer qui nous lavait de toute faute, environnées de l'odeur appétissante des buns chauds, nous étions peut-être mieux encore que chez Mara, puisque Karl ne risquait pas d'entrer pour nous mettre mal à l'aise et nous donner l'appréhension d'une brusque explosion, comme un fusil caché, à la gâchette trop souple.

« Bonsoir, Maggie !

— Belle journée, fit Maggie. Le temps s'est mis au doux sans crier gare, hein ? Mais, probable qu'on reverra le froid demain, ça ne m'étonnerait pas. »

Maggie abandonna le sujet et s'éloigna pour aller nous chercher du thé. Elle avait le don de laisser les gens tranquilles. Ses réflexions sur le temps, elle les jetait négligemment au vent, on pouvait en prendre ou en laisser. Inutile de se forcer, avec elle.

La radio marchait, mais en sourdine. On entendait un bourdonnement au loin, un V1. J'avais été de garde à la défense passive, la semaine précédente ; un V1 était passé au-dessus de moi pour aller tomber beaucoup plus loin.

« En voilà un qui s'amène, dit Maggie, posant la théière et les deux tasses et retournant chercher les buns. Un de ces sales engins est tombé près de chez moi, la nuit dernière. Nous avons passé la moitié de la nuit à dégager un type qui s'était laissé coincer au sous-sol. Pas d'autres dégâts, je suis contente de le dire. »

Celui-là approchait. Nous levâmes la tête. Tout près maintenant, juste au-dessus de nous, semblait-il, et la vibration faisait s'entrechoquer la vaisselle sur le comptoir. Puis le moteur se tut.

« Gare aux têtes ! » cria Maggie, en plongeant sous le comptoir.

Mara et moi, nous étions toutes deux sous la table lorsque la bombe tomba avec un fracas trop assourdissant pour être vraiment un bruit ; ce fut plutôt un ébranlement, une dislocation, une aspiration de tout l'air environnant, suivie aussitôt de tourbillons de poussière épais comme un drap, qui nous firent tousser et comprendre que nous étions vivantes.

J'ai gardé un souvenir suffisamment précis de ce moment d'horreur, pourtant, je ne me rappelle pas avoir été terrassée par une frayeur particulière à l'instant de la chute de la bombe. Je me souviens seulement d'une joie et d'un soulagement abasourdis, presque étonnés, de me sentir vivante ensuite. Puis du visage de Mara, couvert d'une épaisse poussière, aux traits estompés, comme il arrive aux statues usées par les intempéries dans un vieux jardin public. Dans ce morceau de bronze informe, les yeux se mirent à bouger, de façon grotesque. J'eus envie de rire de soulagement. Nous étions toutes deux vivantes.

« Tu n'as rien ? demandai-je.
— Non, et toi ? »

Et puis tout à coup, il y eut un tas de gens, euxmêmes soulevés d'émotion, de frayeur, d'horreur. On nous releva ; j'avais les jambes qui vacillaient sous moi, le cœur qui battait la chamade, mais j'étais aussi en proie à un prodigieux sentiment de triomphe, comme si je venais d'accomplir quelque action merveilleuse. Les gens continuaient à faire cercle autour de nous, à nous demander si nous n'avions rien ; et

Mara et moi, nous nous débattions pour qu'on ne nous emporte pas sur des civières, nous secouions la tête, nous tapotions nos vêtements pour en faire tomber la poussière, nous nous essuyions le visage avec des serviettes qu'on nous tendait. Il y avait une ambulance, des infirmiers en uniforme ; quelqu'un s'approcha de moi pour me demander si je ne voulais pas d'une piqûre calmante, je répondis avec humeur :

« Pour l'amour du Ciel, je n'ai rien, je vous l'ai dit. »

Et ensuite, une fois le comptoir soulevé, il y eut aussi Maggie. Je crois que Mara la vit avant moi, parce qu'elle fit un : « Oh ! » très bref, et porta la main à sa bouche. Mais, même après avoir regardé, il me fallut un moment pour comprendre ce qui se passait, il y eut un décalage entre ce que je vis, ce que j'entendis et mon admission de ce que c'était. Sur le plancher, j'aperçus un liquide sombre, semblable à du café plein de marc et dont, tout d'abord, je ne compris pas la signification ; puis les jambes de Maggie, avec leurs boursouflures de veines bleues, intactes, et planté dans le cou de Maggie, un morceau de vitre verte. Les infirmiers se hâtèrent de la recouvrir, tête et tout, d'une couverture.

Mais le mot « mort », que je me répétais, n'était pour moi qu'un mot, un mot sans saveur. Mara s'accrochait à moi et disait : « Red, allons-nous-en, allons-nous-en », en me secouant par la manche. Elle me prit par le bras et m'obligea à me détourner de la civière de Maggie, qu'on était en train de hisser dans l'ambulance.

Décliner nos noms, dire à un tas de gens que nous n'avions rien, cela ne dut guère prendre que quelques minutes, mais qui parurent des heures ; et ensuite nous nous retrouvâmes dans les rues sombres. Alors, il y eut une autre ambulance et des civières qui passaient et repassaient, occupées ou vides ; et je me rappelle avoir dit : « Puis-je aider ? » parce que ça s'imposait, et Mara qui me chuchotait farouchement :

« Non, non, allons-nous-en. Pour l'amour du Ciel, partons d'ici. »

Et le type de la Défense passive disait : « Eh bien, mes petites, vous avez eu votre compte, vous. Filez. » Et un homme s'approchait de nous pour nous demander encore : « Vous êtes sûres que vous ne voulez pas que je vous fasse une piqûre ? » Et Mara répétait sans cesse : « Rentrons à la maison, rentrons ! »

Je vis que le type de la Défense passive la prenait pour une étrangère. Il se montra aussitôt compatissant, me disant :

« Vous feriez mieux de la ramener chez elle. Elle a vraiment eu un choc. »

Et Mara me chuchota : « Rentrons à la maison, rentrons à la maison... » sans chercher à crâner, ni rien.

J'étais horriblement gênée de voir que Mara se laissait aller sans offrir d'aider, en sorte que je dis :

« Ça va, tâche d'avoir un peu de cran. Nous allons rentrer. »

Mais le type de la Défense passive me dit vivement : « Voyons, mademoiselle, ne la brusquez pas. Votre amie est commotionnée, vous voyez bien. » Et je le trouvai injuste envers moi.

Mara garda le silence jusqu'à ce que nous soyons arrivées au coin de la rue. Alors, elle me tira par la main, me faisant reculer et elle dit :

« Je ne veux pas aller là-bas. »

Elle commença à s'éloigner et je dus la suivre.

Je lui dis :

« Tu n'as pas cessé de brailler : « Je veux rentrer « à la maison », je t'accompagne, et maintenant que nous y sommes, tu ne veux pas y aller. Qu'est-ce que tu veux donc ? »

Elle dit :

« Allons chez toi. Là où tu habites. Allons-y. »

Alors je me sentis furieuse, effrayée. Je ne voulais pas qu'elle vienne chez moi. Pour faire quoi, d'abord ? Chez elle, j'aurais pu prendre un bon bain, et Dieu sait si j'en avais besoin ! Mais en même temps j'éprouvais une sorte de surexcitation, j'avais comme une impression de tremblement au-dedans de moi, de tumulte et de cris au creux de l'estomac. J'entendis le ton furieux de ma voix, mais, à mesure que je parlais, ma colère se fondait dans cette troublante surexcitation. Je suivais Mara dans la rue, en discutant :

« Ecoute, Mara, qu'est-ce qui te prend ? Je t'assure, c'est stupide. Je ne suis pas à moitié aussi bien logée que toi. Nous avons besoin d'un nettoyage en règle, toutes les deux. J'aimerais bien prendre un bon bain, mon chou. Mara... »

Elle marchait vite, il me fallut la suivre. Un taxi descendait la rue. Mara quitta le trottoir et alla se placer devant le taxi, en agitant la main. Le chauffeur s'arrêta dans un grincement de freins, se pencha à la portière et se mit à vociférer des protestations. Mais Mara lui sourit et, radouci, il lui rendit son sourire. Elle ouvrit la portière.

« Monte, Red », dit-elle.

Elle donna mon adresse au chauffeur.

« Voyons, écoute..., commençai-je. Ecoute, ça va te coûter... »

Mais le chauffeur me regardait et j'ai horreur des scènes en public. Le taxi démarra. Je pensais : « Inutile de me laisser houspiller comme ça par Mara. Quand nous arriverons chez moi je lui dirai bonsoir. Il faudra qu'elle s'en retourne seule à Mayfair. Je veux bien être pendue si je la raccompagne ce soir. »

Tandis que nous tournions brusquement dans Oxford Street le bruit des voitures nous assaillit violemment comme le souffle de l'explosion du V1, et toute ma colère en fut balayée. J'avais envie de baisser la tête et de me mettre à pleurer. Maggie était morte, et nous, nous étions là, dans ce taxi, et je pouvais encore sentir de la poussière dans mes cheveux, dans mon col, entre mes doigts. Mais que Mara ne voie pas ma chambre gardait néanmoins son importance ; j'étais idiote de n'avoir pas encore déménagé pour un endroit plus agréable, même si ça devait me coûter plus cher. Une fois devant ma porte, je me retournerais et je dirais bonsoir à Mara.

Quand nous fûmes arrivées devant la pension de famille de Nancy, Mara régla le taxi ; et je la suppliai :

« Mara, c'est un endroit affreux ! »

(L'odeur, le chat, Nancy, Andy. Mara ne voudrait certainement plus *jamais* me revoir quand elle saurait comment je vivais.)

« Allons nous asseoir dans ta chambre.

— Bon, ça va, si tu insistes. Mais elle ne te plaira pas. »

Nancy était sortie (son manteau n'était pas accroché dans l'entrée), ce qui était une chance. Nancy est plutôt curieuse ; il fallait toujours qu'elle montre le bout de son nez à la porte de la salle à manger, pour surveiller les allées et venues dans l'escalier.

« C'est en haut, au second », dis-je.

Nous montâmes, posant nos pieds légèrement sur les marches. Je suivais exactement Mara, accordant mes pas aux siens pour qu'on ne sache pas, au cas où quelqu'un nous aurait écoutées, que deux personnes montaient ensemble. A la sixième marche, j'avais l'habitude de donner un coup de pied dans la septième, pour me porter chance. Pas cette fois-ci. J'ouvris la porte de ma chambre, tournant le loquet doucement, lentement, le sentant jouer sous ma main. J'appuyai sur le commutateur. Moins nous ferions de bruit, mieux cela vaudrait. Enfin, rien de pire ne pouvait plus arriver.

« Elle me plaît, ta chambre. »

Le pire était passé, et la suite ne dépendait plus de moi.

Mara s'approcha du gros fauteuil (les ressorts étaient affaissés, la tapisserie d'un brun sale) et elle s'assit.

« Je vais allumer la rampe à gaz. »

Tout en prenant la boîte d'allumettes, en m'agenouillant pour placer un shilling dans le compteur et une allumette enflammée devant les trous qui sif-

51

flaient, je sentais que Mara m'observait. Avec une petite explosion, les flammes bleues se mirent à lécher la rampe. Je m'assis sur le lit pour faire face à Mara. Son manteau était couvert de poussière, son visage pas très propre.

« Nous avons l'air de deux épaves, dis-je.

— C'est ce que nous sommes », répliqua-t-elle.

En bas, le gong annonça le dîner.

« L'appel à la table du festin, dis-je.

— Vas-y, toi. Je t'attendrai ici.

— Je ne peux pas descendre dans cet état, dis-je. Et je n'ai pas faim, de toute façon. »

Je ne tenais pas à aller rejoindre Andy, Edward et peut-être Nancy, qui, si elle était rentrée, trônait au bout de la table, derrière la soupière. Je me rejetai en arrière sur mon lit. Je caressai du bout des doigts la couverture de tweed bleu qui me servait de couvre-lit. Je dis à Mara.

« C'est papa qui m'a donné cette couverture.

— Vraiment, Red.

— Oui. »

Je redevins enfant, et je retombai presque dans un langage de bébé. Mara était ma mère, et j'avais sommeil, et je me mis à lui parler de choses dont j'avais envie de parler.

« J'adorais mon papa. Il était gentil avec moi. Même quand ma belle-mère lui racontait les pires horreurs sur moi — lui disait qu'il fallait me faire psychanalyser, que j'étais bizarre, que je ramassais les bouts de ficelle et que ça montrait que je n'étais pas normale — même après ça, il était gentil avec moi. « Ça n'a pas d'importance, me disait-il. Tout ira bien « pour toi. C'est papa qui te le dit. Tu es une bonne « petite fille. » Je déteste ma belle-mère et elle m'a en horreur. J'espère qu'elle mourra d'un cancer ou qu'il lui arrivera quelque chose d'épouvantable. Mais mon papa m'aimait, lui, je le sais.

— Moi aussi, je t'aime, Red », dit doucement Mara. Je ne répondis pas.

« C'est compliqué, Red, dit Mara. Je suis une

femme et toi aussi. Je suis une femme adulte, j'ai un mari, j'ai toujours été ce qu'on appelle normale. Je n'ai jamais rien ressenti de tel pour... pour une autre femme. »

Je pus entendre le rire retentissant d'Edward et un cliquetis de vaisselle.

« Quand je dis que je t'aime, je veux dire que je ne t'aime pas seulement en amie. »

Mara parlait comme pour elle-même, d'une voix égale.

« Ce qu'il y a entre nous, peux-tu appeler ça de l'amitié ? Enfin, crois-tu que les autres paires d'amies que nous voyons autour de nous ne sont que des amies ?

— Oui, bien sûr, m'écriai-je. Sans contestation possible. Là tu te trompes, Mara, tu te fais des idées. Il ne s'agit que de béguins. Pas du tout ce que tu veux dire. Je t'assure.

— Peut-être as-tu raison. Peut-être es-tu dans le vrai. C'est une drôle d'époque, dit-elle d'un air rêveur. Ici, j'ai tellement le sentiment d'être une femme, le sentiment d'un monde féminin, d'un monde exclusivement fait pour les femmes. Peut-être est-ce la guerre. C'est possible. Peut-être est-ce de l'imagination. Je ne sais pas. Mais les hommes sont comme effacés maintenant... ils n'existent pas réellement pour moi, sauf quand je me promène dans Piccadilly, où c'en est plein. Mais je crois que je n'aime pas les hommes.

— Ne va pas t'imaginer des choses, Mara. A Horsham, la plupart des filles que tu vois toujours se balader ensemble se marieront et tout ira bien pour elles. Même Louise.

— Pourquoi « même Louise » ?

— Oh ! j'ai été en pension avec Louise, dis-je. Mais elle n'a rien qui cloche, je t'assure. Elle mettra le grappin sur un homme et sera satisfaite de son sort. »

Il m'était impossible de parler de Louise à Mara. De lui expliquer qu'elle avait été une de mes conquêtes, en un sens. Elle l'avait bien cherché :

m'avait forcée à la frapper, à l'embrasser, à lui tripoter les seins, cependant qu'elle laissait échapper de petits cris et roulait ses grands yeux. Mais ce n'était vraiment pas très sérieux. Je trouvais Mara trop propre pour lui raconter ça. Je préférais qu'elle n'en sache rien.

« Ecoute, dis-je, et j'essayai de contrôler le tremblement de ma voix, peut-être que quelques-unes d'entre nous font un peu de substitution. Mais c'est principalement sentimental. C'est naturel de la part d'une fille de s'engouer d'autres filles, de leur tenir la main, et tout. »

Je m'échauffai :

« Tu as un point de vue continental. Ça vient de ce que tu es mariée à un Suisse. Tu considères tout sous l'angle de la sexualité. Il ne s'agit pas de ça, je t'assure. Il n'y a pas d'assez fortes libido dans les parages !

— Je ne saurais dire, fit Mara, où cesse le sentiment pur, un engouement, comme tu dis, et où commence la sexualité. Est-ce qu'on peut le savoir ? Quand un sentiment devient-il péché ? Quand le corps accomplit ce qui a déjà pris forme dans l'esprit ? Dis-le-moi, Red.

— Tu es une vraie philosophe, toi », fis-je évasivement.

On avait en soi tant de possibilités, me disais-je et si on n'en parlait pas, si on n'y pensait pas, on pouvait vivre avec elles, elles étaient parfaitement acceptables. Mais quand on les formulait, elles s'imposaient à la conscience à tout moment et on en percevait le côté odieux. Mais pas avant de les avoir formulées. Aussi, l'important, c'était de ne pas appeler les choses par leur nom.

« Je ne sais pas, dis-je. Je ne connais rien à la psychologie, Mara. »

Elle dit :

« J'aimerais savoir pourquoi j'éprouve ce sentiment pour toi. Cela m'intéresserait de savoir d'où provient ce besoin que j'ai d'être constamment près de toi. Je n'avais encore jamais ressenti cela, et je ne me comprends plus.

— Je ne sais pas de quoi tu parles, fis-je, au mépris de la vérité, la voix tremblante.

— Si, toi, tu le sais, Red. Et moi, je voudrais le savoir.

— Ecoute, dis-je, je suis passée par de sales moments, vois-tu. Et toi non, sans doute. Tu as toujours eu ce que tu voulais, je suppose. Tu es plus âgée que moi, tu as de l'expérience et tu es riche. Je ne veux pas me lancer là-dedans. Je veux être normale. Je suis normale. Je veux connaître des hommes, je veux me marier. »

Elle était figée dans une profonde attention, absorbée dans ses pensées, et les paroles qu'elle prononça ensuite remirent les choses à leur place, comme lorsque tout est brouillé sous le microscope et qu'on tourne la manette, alors la mise au point se fait et tout devient net et précis.

« Red, dit-elle, moi non plus, je ne veux pas me lancer dans quoi que ce soit. C'est pourquoi je te le demande : pourquoi donc est-ce que j'éprouve ce genre de sentiment ? Je n'avais encore jamais rien éprouvé de tel pour une femme. »

Je me rejetai en arrière sur le lit. La vie était une énorme trahison. Voilà que j'étais revenue là où je ne voulais pas revenir. Face à face avec quelque chose que je n'avais pas désiré savoir. Je levai les yeux et, pour la première fois, je remarquai le plafond de ma chambre et l'ampoule électrique cerclée de son abat-jour blanc, suspendue au fil, au centre. Comme un cordon ombilical. Je caressai un instant l'idée que la lampe, pendant ainsi au centre de rien, était un bébé et que moi, j'étais ce bébé. Un petit germe de vie au milieu du néant, lié à la matrice du passé, lié par tout ce qui avait été fait et non formulé. Et si vous coupiez le cordon, la lampe tombait, la lumière s'éteignait.

Et Mara dit :

« Ceci t'est déjà arrivé, Red, mais pas à moi. »

Comment le savait-elle ? Je ne lui avais rien raconté.

« C'était le professeur de gymnastique, Mara. Son fiancé l'avait laissée tomber. Elle s'est vengée sur moi. »

Je me redressai sur le coude, affectant la désinvolture.

« C'est toujours le prof de gym ou celui de littérature, tu sais bien. Ou une élève plus âgée. Ça se fait dans les meilleurs collèges, ma chère.

— Est-ce que ça t'a laissé mauvaise conscience ?

— Pas vraiment. »

Soudain, je revis clairement Rhoda, mon professeur d'éducation physique ; des cheveux blonds tout frisés, coupés court sur la nuque, un joli visage, une bouche mobile, une robe bleue au corsage garni de dentelle. A présent, cela me paraissait puéril, ridicule, mais malpropre aussi. Cette bouche boudeuse était stupide, cette habitude de faire de l'œil, qui m'avait tant plu chez Rhoda, était stupide. Louise aussi avait des yeux stupides. Et dire que je les avais appelés des entremetteurs bleus après avoir lu Shelley !

« Red, ne pleure pas. Je t'en prie, ne pleure pas », dit Mara.

Je pleurais, je m'en aperçus avec stupéfaction. Des larmes coulaient sur ma joue, la paume de ma main que je détachai de ma joue était humide et luisante, comme de sueur, sous la lampe.

Mara s'approcha du lit.

« Etends-toi, dit-elle, étends-toi. Etends-toi, ma chérie.

— Elle m'avait dit qu'elle serait ma mère, qu'elle serait comme une mère pour moi. C'est ce qu'elle m'avait dit.

— Elle te mentait, dit Mara ; mais moi, je ne vais pas te mentir. Je n'ai pas l'intention d'être une mère pour toi. Je t'aime, c'est tout. Et pourquoi dois-je t'aimer, je n'en sais rien. »

Et pourtant ce fut tout simple et juste et beau et bon, cette fois-ci, lorsque Mara m'entoura de ses bras et que nous nous embrassâmes ; et nous ne pouvions plus nous arrêter, bien qu'il y eût de la poussière sur nos lèvres.

Les vacances de Noël signifiaient tante Muriel. Tante Muriel était la plus jeune sœur de mon père et ma plus proche parente. Ces quatre dernières années, j'avais passé les vacances de Noël avec elle, personne d'autre n'ayant semblé vouloir de moi ; et, du fait de la guerre, je n'aurais pu aller ailleurs.

Tante Muriel habitait dans le Wiltshire, une ferme située près du village d'Abbots, à onze kilomètres de Salisbury. A l'arrivée du train, elle était sur le quai de la gare, dans son uniforme des W.V.S.[1], et elle se donnait de petits coups de cravache sur la cuisse. D'aussi loin que je me souvenais, ou presque, tante Muriel avait toujours eu une cravache à la main, s'en servant pour indiquer ceci ou cela à la ferme, ou pour s'en fustiger. Je pense que cela lui donnait un sentiment d'autorité, de puissance. Quand je descendis tant bien que mal du train, elle regarda mes chaussures. Elle avait une passion pour les chaussures bien cirées, elle ne trouvait jamais les miennes assez reluisantes.

« Bonjour, tante Muriel. Seigneur, ce que vous avez grandi ! »

Elle sourit. Tante Muriel aime qu'on la taquine comme si elle était encore une petite fille avec des nattes.

« Ça va, tais-toi, dit-elle. Tous tes bagages sont là, ma chérie ? Bon. Alors nous allons filer tout de suite. J'ai pris la camionnette. Nous serons serrées comme des sardines, mais ça ne te fait rien, n'est-ce pas ? »

Dans la camionnette, il y avait dix paires de bottes de caoutchouc, un sac de farine spéciale pour les poulets, une selle, deux seaux et, sur le siège avant, assise au volant, Rhoda. La dernière personne que je souhai-

1. W.V.S. : Women Voluntary Services (N.D.T.).

tais voir. Bien sûr que tante Muriel inviterait Rhoda !
Rhoda était venue au dernier et à l'avant-dernier Noël.
C'était moi qui l'avais voulu. J'avais arrangé moi-
même sa venue trois ans plus tôt et, depuis, c'était
devenu une habitude. Tante Muriel faisait grand cas
de Rhoda. Elle ne se doutait de rien en ce qui nous
concernait. Elle nous croyait de bonnes amies ; elle
le croyait depuis des années, sans réfléchir que Rhoda,
qui a dix ans de plus que moi, était mon professeur
d'éducation physique. Tante Muriel était venue me
voir au collège, un jour de visites, et Rhoda en avait
profité pour se précipiter sur elle et lui dire que
j'étais une excellente élève, simple et naturelle, à
l'esprit si sain. Une vraie musique aux oreilles de
tante Muriel parce qu'elle détestait ma belle-mère et
que celle-ci lui avait prétendu que j'étais anormale,
qu'il fallait me faire psychanalyser... Mais à présent,
c'était ma belle-mère qui était anormale, donnant
dans la Christian Science et préparant un diplôme
de spirite-médium ; et elle inondait même tante Muriel
de pamphlets sur les chers disparus. Tante Muriel
ne pouvait supporter l'idée de la mort, en sorte que
tout ce qui contredisait ma belle-mère trouvait grâce
à ses yeux. Elle se prit de sympathie pour Rhoda et,
par la suite, Rhoda fut invitée pour Noël. « Rhoda a
une si bonne influence sur Bettina », disait tante
Muriel à ses amies.

« Bon, dit tante Muriel d'un ton jovial, fourre-toi
là-dedans, Bettina. Tu t'assiéras entre Rhoda et moi,
comme l'année dernière. Tu te souviens ?

— Bettina, dit Rhoda, de cette voix pleine de santé,
fraîche, crépitante qui lui était particulière, que j'avais
trouvée merveilleuse et qui me faisait maintenant
l'effet d'un laxatif, c'est délicieux de te voir, ma chérie.

— Bonjour, Rhoda », dis-je.

Je m'assis, détestant la sentir si proche. Je dus
replier le bras, de telle sorte que la manche de mon
manteau touchait la sienne, ce qui suffit à me plonger
dans l'embarras. Nous nous étions toujours tenues sur

nos gardes, nous disant à peine bonjour, affectant de ne pas nous occuper l'une de l'autre, pour qu'on ne nous soupçonne pas, comme on soupçonnait certaines autres filles de ma connaissance. Ainsi, ce ne fut pas trop difficile de me détourner de Rhoda, de bavarder avec tante Muriel, de poser des questions sur la ferme et, puisque tante Muriel dirigeait le comité des Réfugiés, sur les Polonais et les évacués d'Abbots. Rhoda mit la voiture en marche. Elle tenait le volant, tante Muriel bavardait et moi, j'affectais d'être prodigieusement intéressée par tout ce qu'elle racontait, alors que je n'en entendais pas la moitié. Tante Muriel peut s'étendre des heures durant sur ce qui l'intéresse, la conversation est donc facile avec elle. Je pensai sans arrêt : « J'espère que tante Muriel ne nous aura pas mises toutes les deux dans la même chambre, comme l'année dernière. »

Mais tante Muriel nous avait mises dans la même chambre, ainsi qu'elle le fit ressortir dès que nous fûmes arrivées.

« Tu connais le chemin, Bettina. »

Je laissai ma valise dans le couloir et, tandis que Rhoda garait la voiture, j'entrepris tante Muriel qui était déjà dans la cuisine.

« Tante Muriel ?

— Oui ? Qu'y a-t-il, Bettina ?

— Je... C'est que... Tante Muriel, je ne dors pas très bien, et il faut que je bûche ferme. Mes examens bientôt, vous savez... J'avais pensé que, peut-être... Ça ne vous ferait rien que je m'installe dans l'autre chambre d'amis, cette année ?

— C'est tout à fait impossible, Bettina, dit tante Muriel. Je croyais t'avoir parlé dans la voiture de ma nouvelle aide polonaise et de son bébé. Je les ai installés dans l'autre chambre. C'est une personne déplacée, une merveilleuse cuisinière, je ne pouvais pas lui donner la chambre de bonne, c'était beaucoup trop petit avec un bébé... Elle m'aurait laissée tomber tout de suite... Tu sais comment sont les choses, à l'heure actuelle...

— Bon, puis-je prendre la chambre de bonne, alors ? »

Tante Muriel parut contrariée.

« J'ai bien peur que non. Elle est pleine d'équipement pour les W.V.S. Je suis sûre que Rhoda ne fera pas d'histoires, même si tu dois travailler. Et je te donnerai un cachet de mon somnifère. »

Ainsi, il n'y avait rien à faire et je dus traîner ma valise dans la chambre que, Rhoda et moi, nous partagerions, et me mettre à déballer mes affaires. Tandis que je m'y employais, Rhoda entra, fumant une cigarette. Son odeur imprégnait déjà la chambre. Je fis semblant d'être occupée à ranger mes vêtements dans un tiroir.

Rhoda s'approcha et se planta derrière moi.

« Bettybets, dit-elle en me posant une main sur l'épaule. Qu'est-ce qui se passe ? Tu es bien grognon.

— Il ne se passe rien », dis-je, apparemment très occupée à disposer mes vêtements en plusieurs piles.

Sa main était toujours sur mon épaule et je ne pouvais éternellement laisser les miennes dans le tiroir. Je le fermai donc lentement et me tournai vers ma valise. Rhoda laissa retomber sa main.

Elle s'approcha de son lit et s'y étendit sur le dos, tirant sur sa cigarette et m'observant.

« Tu ne m'as pas beaucoup écrit ces derniers temps, dit-elle. J'attendais une lettre de toi.

— J'ai été très occupée, dis-je.

— Red, fit Rhoda, ne sois donc pas comme cela. Je t'en prie, viens-là, viens dire à ta Rho-Rho que tu es contente de la voir.

— Bien sûr que je suis contente, dis-je. Mais, tu sais, je vais être très occupée, il faut que je bûche ferme.

— Est-ce que quelqu'un t'aurait dit quelque chose ? fit Rhoda en se redressant brusquement. Parce que ce n'est pas vrai, Red. Je veux dire que personne d'autre que toi ne compte pour moi. »

Ainsi il y avait quelqu'un d'autre dans le tableau. Un instant, je me dis que ce serait une bonne idée de faire semblant d'être jalouse. J'avais été réellement jalouse de Rhoda, une fois. Je haussai les épaules.

« Laisse tomber, dis-je. Tout se sait, bien sûr.

— Angela ne compte pas pour moi, dit Rhoda. Absolument pas, Red, tu dois me croire.

— Bon, dis-je en continuant à affecter un air morne et las, laissons tomber, n'est-ce pas ? Il faut bien perdre ses illusions un jour ou l'autre. »

Je respirais plus facilement, à présent. Je pouvais même regarder Rhoda assise au bord du lit. Il y avait une table de chevet entre son lit et celui qui serait le mien.

« Red, tu sais que personne ne compte pour moi... comme toi, tu le sais. »

Elle était visiblement ennuyée maintenant. Je n'avais rien oublié de ce qui s'était passé entre elle et moi. J'avais seize ans ; elle en avait vingt-six et il venait de lui arriver quelque chose, son fiancé l'avait laissée tomber. J'étais grande pour mon âge et je me sentais seule. Elle m'avait dit qu'elle voulait être une mère pour moi. Rhoda s'était servie de moi, m'avait appris certaines pratiques, et maintenant j'étais ce que j'étais à cause d'elle. J'avais envie de lui crier au visage, de la frapper, tandis qu'elle restait là, à me regarder de tous ses grands yeux bleus, l'air effrayé. Elle portait une robe bleue, en lainage. Je pensais aux lettres que je lui avais écrites et à celles qu'elle m'avait écrites, et à cet horrible mois de juin où je l'aimais alors qu'elle aimait quelqu'un d'autre.

« Tu sais parfaitement bien que je t'aime ? Red, dit-elle. Toi et moi, c'est *différent*, chérie. »

Je me mis à rire, c'était plus fort que moi. Je pensais à cet été où elle avait cessé brusquement de me chuchoter : « A ce soir ! » Finis les petits billets : « Le champ est libre. » Par deux fois, j'étais allée jusqu'à sa chambre, j'avais frappé doucement, me sentant seule, atteinte au cœur. La première fois, elle avait fait du thé, parlé de bagatelles, puis déclaré dans un bâillement : « Eh bien, bonne nuit, chérie... je suis si fatiguée... quelle journée éreintante... à bientôt. » Un baiser du bout des lèvres. Finis ces longs baisers appuyés qu'elle m'avait enseignés et qui me laissaient toujours tremblante, épuisée. La seconde fois, elle avait été mécontente : « Chérie, je suis désolée, je dormais. Entre si tu veux, mais il faut se montrer prudentes, tu sais. »

Et le dimanche suivant je l'aperçus qui se promenait dans les bois près du collège avec un homme, un type au visage rouge, au cou de taureau. J'étais allée à bicyclette jusqu'au bois, cueillir des fleurs pour elle. Elle portait sa robe bleue avec des volants de dentelle au corsage.

Et maintenant, elle était en bleu, une très jolie robe, et je n'aurais pu supporter l'idée de la toucher. Pourtant, j'avais sangloté de bonheur lorsqu'elle m'avait reprise, deux années plus tôt. Elle m'avait juré qu'il n'y avait rien, rien du tout entre cet homme et elle. Puis elle avait été très malade pendant quelque temps.

Il y avait eu Louise, de façon intermittente, mais ce n'était vraiment pas grand-chose. Louise était trop sale bête ; elle aimait simplement qu'on lui fasse un peu mal. Mais il y avait Mara. Et Mara éclipsait tout. J'étais amoureuse, vraiment amoureuse.

« Ne ris pas, Red, implora Rhoda. Je parle sérieusement.

— Oh ! pour l'amour du Ciel, dis-je, ne fais pas de drame.

— Tu as changé, Red », fit Rhoda.

On aurait dit une mauvaise réplique d'une mauvaise pièce.

« Bien sûr que j'ai changé, répondis-je. J'ai perdu mes illusions, je te l'ai déjà dit. »

Alors, prête à pleurer, elle éteignit sa cigarette ; et je continuai à disposer mes affaires dans les tiroirs.

« Je vois, dit-elle d'une voix lasse. Tu as perdu tes illusions. Ce n'est pas moi qui ai changé, c'est toi. Qui est l'heureux mortel ? Est-ce que je le connais ?

— Non, dis-je, énormément soulagée que Rhoda ait ainsi tout simplifié. J'ai bien peur que non. Je te l'ai dit, Rhoda, je suis une grande personne maintenant. »

Le lendemain, les écoliers du village devaient chanter des cantiques de Noël à l'église. Tante Muriel, Rhoda et moi, nous allâmes les entendre, et je faillis m'endormir en pleine église. Je n'avais guère fermé l'œil de la nuit, avec Rhoda, aussi silencieuse que moi, dans le lit voisin. Je m'étais déshabillée dans la salle de bain, et une foule de souvenirs ne cessaient de me revenir en mémoire, tous intensément désagréables. Au lever, Rhoda avait préparé le thé matinal. (Elle s'en chargeait toujours chez tante Muriel ; et c'était là encore une des raisons pour lesquelles tante Muriel l'appréciait tant : Rhoda rendait vraiment quantité de petits services quand elle était là, aux vacances.)

« Je t'ai fait du thé, Red », dit Rhoda.

Et je lui dis : « Merci ! » et je me hâtai de quitter mon lit pour me rendre à la salle de bain, afin de couper court à toute tentative de conversation.

A l'église, tout alla mieux. Je pensai à Mara et je me dis que j'aurais peut-être une lettre d'elle le lendemain. Je lui avais demandé de m'écrire. Avant de partir, nous avions nourri les poulets, Rhoda et moi, comme nous nous en étions déjà chargées aux précédentes vacances. Il y avait des côtelettes d'agneau pour le déjeuner et un gâteau au chocolat en l'honneur du jour, puis Rhoda et moi, nous lavâmes la vaisselle. Nous ne parlions guère, mais tante Muriel ne le remarqua pas, tant elle était heureuse d'avoir des « mains secourables » pour se charger du ménage, étant donné Noël surtout.

Rhoda se montra très adroite, ce matin-là et, à part sa conversation avec tante Muriel sur le chapitre du « Vous en souvenez-vous ? » et sur la mauvaise conduite des Polonais du camp, elle ne fit pas de sentiment, en sorte qu'après le déjeuner de midi l'atmosphère était déjà meilleure. Tant qu'on ne s'attardait pas sur ce qui avait été et qu'on n'évoquait pas le passé, nous pouvions paraître bien copines et détendues, et il n'en fallait pas plus.

Le téléphone sonna. Rhoda se leva en disant : « J'y vais, tante Muriel. » Répondre au téléphone, c'était l'affaire de Rhoda ; de même que conduire la camionnette, car tante Muriel prétendait que Rhoda avait un vrai don pour économiser l'essence. En fait, tante Muriel avait un peu peur des téléphones et des autos.

Rhoda revint du couloir où se trouvait le téléphone.

« C'est pour toi », me dit-elle.

Elle s'assit sans me regarder.

Je me levai, affectant la surprise, avec une expression qui-diable-cela-peut-il-bien-être ? sur le visage. Mais je me sentais prise de panique et je savais que j'avais rougi, aussi je me hâtai de me détourner, en même temps que je m'enjoignais de ne pas trop me dépêcher, sinon ça paraîtrait suspect. J'avais envie de courir dans le couloir, jusqu'au téléphone, parce que je craignais qu'on ne coupe la communication, mais je m'obligeai à marcher, le cœur battant, parce que je savais, parce que j'étais certaine que ce serait Mara.

Ce serait Mara, qui m'appelait de Londres, bien sûr que ce serait elle. Elle seule pouvait faire une chose merveilleuse et folle comme celle-là : me téléphoner. Personne d'autre n'avait jamais ce genre de geste envers moi. C'était toujours moi qui avais dû téléphoner et demander, et me rendre chez les autres, toujours moi celle qui mendiait de l'amour.

« Bettina Jones ? dit l'opératrice. On vous appelle de Londres.

— Allô, dit la voix de Mara. C'est toi, Red ?

— Oui, répondis-je. Oui. C'est toi, Mara ?

— Oui, dit Mara, c'est moi. »

Je la voyais d'ici, suspendue au téléphone, à Londres, comme moi, je l'étais chez tante Muriel dans le Wiltshire. Absurde ! Nous n'avions rien à nous dire sauf : « Comment vas-tu ? » et : « Très bien, et toi ? »

Je répondis : « Très bien. » Et Mara dit : « Tant mieux. » Et moi : « Tu vas bien, toi ? » Je me serais volontiers flanqué des coups de pied pour perdre ainsi ce temps précieux, irremplaçable, à faire l'idiote.

Elle dit :

« Tu as passé une bonne journée ? »

Et moi :

« Oui, c'est épatant ici. On a beaucoup à bouffer. »

Puis il y eut une autre longue pause, et je crus entendre Mara respirer, puis l'appareil fit : pip, pip, pip, et l'opératrice dit :

« Avez-vous terminé ou faut-il prolonger ? »

J'entendis Mara dire :

« Prolonger. »

Nous restions là, suspendues au téléphone, et je dis :

« Comment ça va à Londres ? » et Mara : « Très bien. » Et moi : « Tant mieux. »

Et ainsi trois autres minutes s'écoulèrent, tandis que nous parlions du temps à Londres et à Salisbury ; et l'appareil fit de nouveau : pip, pip, pip, et la voix de Mara dit de nouveau : « Prolongez », et je dis : « Ça va être vraiment très cher, tu ne crois pas ? »

Et Mara demanda :

« Red, as-tu lu Blake ? »

Le téléphone se mit à crépiter.

« Lu Blake ? répétai-je. Pourquoi ?

— Connais-tu les vers de Blake : *Tigre, tigre, qui resplendit — dans les forêts de la nuit* ? C'était un vrai tigre vivant, Red, dit-elle, adorable et rayé de noir et jaune, Red, un vrai tigre des Tropiques.

— Quel rapport ? demandai-je.

— Quel rapport avec quoi ? dit-elle.

— Oh ! avec tout, dis-je. Je ne comprends pas.

— Aucun, dit-elle. Voilà pourquoi je t'en parle. Parler de tigres, ce n'est qu'une façon de te demander comment tu vas. Peut-être qu'un jour nous irons dans la jungle et que nous verrons de vrais tigres.

— Ecoute, dis-je, est-ce que tu cherches à faire de l'esprit ? Ça n'a rien de drôle de jeter l'argent par les fenêtres, en me téléphonant pour me parler de tigres.

— Tu veux dire jeter de l'argent dans le téléphone, fit-elle. Tu n'aimes pas les tigres ?

— Non », dis-je ; et soudain je me sentis furieuse

et blessée. J'étais déçue dans mon attente, mais qu'avais-je attendu? Parler de tigres, alors que j'étais là, avec Rhoda prête à me sauter dessus!... « Non, criai-je presque. Je n'aime pas les tigres. »

Trois pip.

« Communication terminée, dit l'opératrice.

— Enfin, au revoir, Red, dit Mara. A bientôt. »

Et elle raccrocha.

Je jurai à mi-voix, et je restai là, à regarder l'impitoyable téléphone noir, pendu à son crochet. Et maintenant, j'avais envie de dire : « Reviens, je t'en prie, reviens, laisse-moi simplement entendre encore ta voix parler de tigres, de tigres magnifiques. » Mais il était trop tard pour dire à Mara que j'étais d'accord pour les tigres, et même les éléphants, que j'aimerais aussi les girafes, pour peu qu'elle veuille parler girafes. Et pourquoi m'étais-je ainsi fâchée brusquement? Peut-être parce que avec Mara, ou poussée par elle, j'en venais toujours malgré moi à revivre des souvenirs que je croyais avoir oubliés, ou que je désirais oublier... à penser à ma mère, par exemple. Et à cet instant, je compris. Cet après-midi au zoo, j'avais cinq ans, peut-être six, ma mère s'entretenait avec un homme devant la cage aux tigres, et moi, enrubannée, gantée de moufles, j'avais envie de faire pipi et j'étais effrayée par l'odeur atroce des tigres ; et voilà que ma mère, le visage tout rose sous un grand chapeau, riait avec cet homme dont je ne me rappellerai jamais le visage parce que je le haïssais trop, et qui la tirait par sa main gantée.

Quand j'allai rejoindre les autres, Rhoda était assise le dos très raide, et tante Muriel me demanda sans se gêner :

« Qui était-ce, ma chérie ? »

Je dis :

« Rien qu'une amie qui voulait que je lui passe mes notes de chimie organique. »

L'explication suffisait pour tante Muriel, quant à Rhoda, je m'en contrefichais. Elle me laisserait tranquille, pensais-je. Je pris les *Œuvres complètes* de

Blake sur le rayonnage où tante Muriel les avait mises en compagnie d'autres *Œuvres complètes*.

Je passai l'après-midi dans un bonheur angoissé, puis quand vint la nuit, je me sentis malheureuse et impatiente, je me répétais : *Tigre, tigre...* Tant de jours encore à passer avant que je puisse revoir Mara. Pourquoi, cédant à l'habitude, étais-je venue chez tante Muriel, au lieu de rester quelques jours encore à Londres ? Nous n'étions que le 20, cinq jours avant Noël. Pourquoi n'avais-je pas attendu, disons, le 23 ? Ça aurait fait trois jours, trois jours de plus avec Mara. C'eût été parfaitement possible, cela n'aurait blessé personne, j'aurais pu dire à tante Muriel que je potassais mes examens. Elle n'en aurait pas été trop peinée. Je n'avais pas considéré la chose sous cet angle avant de quitter Londres. Tante Muriel était une parente à moi, elle me laisserait toute sa fortune, je devais me montrer gentille envers elle, lui consacrer un peu de mon temps et de ma personne durant les vacances ; ce qui signifiait m'occuper des poulets, laver la vaisselle, aider au ménage et entretenir les feux un jour sur deux. Ainsi, j'étais arrivée le 20, comme toujours, par la seule force de l'habitude. Parfois, il me fallait faire un effort pour me souvenir que tante Muriel m'*aimait aussi*, qu'elle ne m'invitait pas seulement pour avoir mon aide à la ferme. C'était injuste de ma part. Il y avait la guerre. Avant le dîner, je descendis à la cuisine pour aider la jeune Polonaise à éplucher les pommes de terre et à préparer les choux de Bruxelles, ensuite, j'allai enfermer les poulets. Et, pas un instant, je ne cessai de regretter Mara au point d'en être vraiment mal à l'aise.

Après dîner, ayant soigneusement tiré les rideaux de la défense passive, nous nous installâmes au coin du feu. Rhoda faisait les mots croisés du *London Times* et tante Muriel les comptes des W.V.S. Je serais volontiers montée dans la chambre pour écrire à Mara, mais il faisait très froid là-haut, cela risquait d'éveiller les soupçons des deux autres, ou d'inciter Rhoda à dire quelque rosserie sur moi à tante Muriel.

Quitter la pièce, ce serait rompre ce tableau d'intimité que nous formions, trois femmes réunies paisiblement au coin du feu, chacune payant un peu de sa personne pour le pays. Aussi, je ne bougeai pas, affectant de relire mes notes de physiologie (je montrais ostensiblement qu'il me fallait bûcher ferme). Tant que je faisais semblant de lire, tant que j'avais un livre entre les mains, cela m'évitait de parler, je pouvais rêver tout mon soûl. Je me perdis donc dans un rêve où je voyais Mara, j'étais inconsciente de ce qui se passait autour de moi, quand la voix de tante Muriel se fit entendre :

« Qu'est-ce qui te fait sourire, Bettina ? C'est un roman que tu lis là ? »

De l'avis de tante Muriel, tout roman devrait contenir des passages assez drôles pour vous faire sourire, mais pas grossiers, toutefois.

Je fus rappelée au présent, à Rhoda qui m'observait d'un regard scrutateur. Je sentais qu'elle savait que je lui avais menti, qu'elle se demandait qui avait bien pu me téléphoner. Lorsqu'on a aimé un être et que cet être vous a aimé, peut-être qu'une sorte de communication télépathique survit à cet amour ; et ainsi, Rhoda se rendait compte que je ne lui avais pas dit la vérité, exactement comme moi, je me rendais compte qu'elle le savait. En tout cas, je me surpris à rougir et je dis :

« Je dormais à moitié. Je crois que je vais monter me fourrer au lit. Bonsoir tante Muriel, B'soir, Rhoda. »

Si Rhoda ne me suivait pas trop vite, mais restait en bas avec tante Muriel, j'aurais un peu de temps à moi, un peu de temps pour rêver à Mara.

Le lendemain, on me téléphona de la poste un télégramme de Mara, mais je ne le sus pas, car j'étais avec les poulets. Ce fut Rhoda qui prit le message au téléphone et je ne l'eus qu'une heure plus tard. Naturellement, Rhoda l'avait fait exprès. Il se trouvait qu'elle était dans la maison quand le téléphone avait sonné, alors que moi, j'étais déjà descendue au poulailler. Au lieu de venir me prévenir, elle s'en alla. Une heure après, quand je montai me laver les mains, je trouvai dans notre chambre un morceau de papier portant le message de Mara : *Arriverai demain, train onze heures et demie. Mara.*

J'étais furieuse. C'était un sale tour à me jouer, et, bien entendu, Rhoda me l'avait joué à dessein ; et maintenant elle savait que je lui avais menti, qu'il ne s'agissait pas d'un homme. Je me précipitai sur le téléphone pour appeler la poste. On me dit que le télégramme était parti la veille au soir de Londres, en sorte que le *demain* du message signifiait *aujourd'hui*, signifiait tout de suite. C'était bien de Mara, naturellement, d'écrire un vague « demain », au lieu d'indiquer la date.

Elle quitterait Londres par le train de onze heures et demie, qui arrivait à deux heures à Salisbury. Le car desservant le village le matin passait à dix heures. Celui de l'après-midi partait à deux heures et arrivait sur la place du marché de Salisbury à trois heures dix-sept, parce qu'il faisait un détour par un tas de petits villages avant de piquer sur la ville. A trois heures dix-sept, Mara aurait déjà attendu une heure et dix-sept minutes à la gare de Salisbury, et Dieu sait ce qu'elle aurait pensé de moi.

J'essayai de téléphoner à la gare pour y laisser un message pour Mara, mais on se montra bigrement impoli à l'autre bout du fil. « Alors, quoi, vous ne savez pas qu'on est en guerre ? » me dit-on. J'étais dans tous mes états, je me sentais baignée de sueur rien qu'à imaginer Mara débarquant, ne trouvant personne, et repartant peut-être par le premier train. Et ensuite, elle ne m'adresserait plus jamais la parole. Elle croirait que je l'avais laissée tomber exprès.

Je me précipitai au salon, puis dans la cuisine.

« Où est Miss Jones ? demandai-je à la Polonaise, entendant par là tante Muriel.

— Miss Jones ? Elle partie avec Miss Rhoda dans la camionnette, dit-elle. Elles revenir pour déjeuner. »

Je n'étais pas plus avancée. C'était odieux de la part de Rhoda de m'avoir fait ça. A une époque, elle m'avait dit... Oh ! tant de choses, qu'elle m'aimait, qu'elle me voulait heureuse. Je suffoquai de rage ; c'était tellement dégoûtant de sa part. J'enfilai mon meilleur pantalon de flanelle, mon twin-set vert, m'enroulai dans mon manteau. Il me faudrait faire à pied les onze kilomètres qui me séparaient de Salisbury. J'étais bonne marcheuse, capable de faire quatre kilomètres et demi en une heure. Avec de la chance et peut-être un peu d'auto-stop, je m'en tirerais.

Il était deux heures dix quand j'arrivai à la gare de Salisbury ; je m'y précipitai en courant pour me renseigner sur le numéro du quai d'arrivée, ce qui me prit encore trois minutes. Mais, quand j'y parvins, le train n'était pas encore en gare.

« Il a vingt minutes de retard, me dit le contrôleur. C'est la presse de Noël. »

Je ne m'étais jamais sentie plus soulagée. Je m'assis sur un banc, en face du portillon du quai où le train était attendu, comme si, en le guettant, j'avais pu faire arriver le train plus tôt.

· Enfin il entra en gare ; la locomotive au museau rond et noir, semblable à la tête d'un ver, vomissait du bruit, de la chaleur, de la fumée ; et puis ce fut le dégorgement latéral d'innombrables personnes. J'avais si peur de manquer Mara ! On ouvrit un autre portillon pour que les voyageurs s'écoulent plus rapidement, en sorte qu'avec deux sorties à surveiller je crus à plusieurs reprises voir Mara, mais ce n'était pas elle. Et soudain, je fus prise de panique à l'idée que, peut-être, je ne me rappelais pas bien son visage, et qu'elle était passée près de moi et me cherchait. Un flot de voyageurs s'écoulait devant moi, et je regardais, je scrutais tous ces visages, à la recherche du sien.

Puis j'aperçus Mara ; elle n'était pas seule. Derrière elle, mais visiblement attaché à sa personne, car elle tournait la tête pour lui parler, il y avait un homme en uniforme. Je restai figée sur place, et ce fut Mara qui me dit : « Red ! » et vint à moi. Elle portait un merveilleux manteau, d'un brun foncé, moelleux, et un petit bonnet rouge de lutin et, bien entendu, du rouge à lèvres, et elle tranchait si nettement sur toutes ces ternes femelles mal soignées que la guerre avait fait de nous que j'en eus le souffle coupé. Rien d'étonnant si l'officier ne pouvait la quitter du regard.

« Red, dit-elle, je te présente le capitaine Fulton. Il m'a très obligeamment cédé sa place. Le train était bondé. »

Le jeune homme parut ravi. Il regardait Mara comme s'il allait la dévorer, et je me dis : « On dirait un chien qui s'apprête à remuer la queue et à faire le beau. » Il me serra la main, et il dit à Mara :

« Je suis désolé de ne pouvoir vous offrir de vous conduire en ville, car je vais tout droit à Bulford en camion. Je vous téléphonerai ce soir, si vous permettez. Je reviendrai peut-être à Salisbury dans un jour ou deux. J'aimerais vous montrer la ville, si vous le permettez. »

Il se serait mis en quatre ; je voyais qu'il était prêt à se jeter aux pieds de Mara, mais elle ne le regardait pas ; c'était moi qu'elle dévisageait en souriant.

Elle dit :

« Je crains d'être très occupée. Je ne resterai pas longtemps à Salisbury. Je descends chez des amis. »

Elle reprit sa valise. Il la lâcha lentement, comme si elle avait collé à sa paume. Je m'en emparai à mon tour et nous nous éloignâmes. Au bout de quelques minutes, je me retournai. L'officier continuait à regarder Mara. Je me sentais gênée maintenant, avec cette valise à la main. Le plaisir de voir Mara était passé ; elle était là, avec moi, arrivée saine et sauve ; je perdis ma bonne humeur. A cause de ce type, à cause de Rhoda, parce que j'avais faim. J'avais fait onze kilomètres l'estomac vide et Mara ne m'en était pas le moins du monde reconnaissante. Elle semblait trouver ma présence toute naturelle, avançait en balançant son petit sac rouge et en se souriant à elle-même.

« Je me demande, dit-elle, si je pourrais trouver un taxi pour me conduire au Cygne-Noir ? J'ai retenu une chambre par téléphone. Tu resteras dîner avec moi, n'est-ce pas, Red ?

— Etant donné que je n'ai pas encore déjeuné et que je dois rentrer pour enfermer les poulets, je ferais mieux de prendre le car de cinq heures. »

J'ajoutai :

« Tu n'as pas besoin de *moi* pour veiller sur toi.

— Tu n'as pas déjeuné ? dit Mara. Pourquoi donc ?

— Parce que, grosse bécasse, si j'avais déjeuné, je ne serais pas ici. J'ai fait onze kilomètres à pied pour être là à l'heure. Et tu ne sais pas ? Je t'assure bien que je n'aurais fait ça pour personne d'autre.

— Oh ! Red, il faut qu'on te trouve quelque chose à manger, tout de suite, dit-elle, sinon tu t'évanouiras ou je ne sais quoi. Moi, quand je n'ai pas mangé, je tombe dans les pommes.

— Mais non, ça va. Je ne tomberai pas dans les pommes. »

Mais elle me traîna au buffet de la gare et commanda quelques sandwiches à la poudre d'œufs, qui n'étaient pas très appétissants. J'en mangeai quelques-uns, mais il en restait beaucoup et, de nouveau, j'eus l'impression de me faire remarquer, et j'en voulus à Mara parce qu'il nous arrivait toujours quelque chose de ce genre quand nous étions ensemble : si ce n'était une bombe, c'était Karl, son mari, ou bien Daphné qui venait prendre un bain, elle aussi, ou ce jeune type qui lui portait sa valise, ou des gens qui nous regardaient parce qu'elle n'était pas comme tout le monde. Toujours quelque chose de superflu, de malencontreux, de déplacé. Et je détestais me sentir différente des autres. J'avais besoin d'être approuvée, d'une façon discrète, sans ostentation. Mais c'était impossible avec Mara. Je ne me rappelais plus mon émotion d'entendre sa voix au téléphone, l'après-midi de la veille ; l'impression merveilleuse que j'avais ressentie à marcher, marcher, comme je n'avais jamais marché de ma vie, pour être à l'heure à la gare. A présent, je lui en voulais, la servitude de l'amour me pesait, car on ne m'avait pas appris que l'amour implique aussi la servitude, que la rancune fait toujours partie de l'amour.

Je bus le thé tiède, remué avec la cuillère attachée au comptoir par une ficelle, et regardai Mara. Maintenant que j'avais mangé, que je n'étais plus affamée, je redécouvrais sa beauté : mon irritation se dissipa. Je me serais volontiers attardée dans cette salle, à contempler Mara, à m'imprégner peu à peu de bonheur.

Elle dit :

« On m'a prétendu que le Cygne-Noir est le meilleur hôtel de Salisbury et qu'on y mange bien malgré la guerre.

— Pourquoi ne m'as-tu pas dit hier au téléphone que tu allais venir, Mara, au lieu de me télégraphier ?

— Parce que je ne savais pas encore que je viendrais. Je ne m'y suis décidée qu'après avoir raccroché. Tu resteras avec moi, Red, n'est-ce pas ?

— Et Karl ? » demandai-je.

Karl était en voyage lorsque j'avais quitté Londres.

« Karl reviendra peut-être demain, aussi je vais être obligée de rentrer demain.

— Cela ne valait guère la peine de venir juste pour la journée », fis-je.

Mais elle dit :

« Bien sûr que si, que ça en vaut la peine ! »

Et je me sentis si heureuse que j'aurais refait sur l'heure onze kilomètres à pied.

« Téléphone à ta tante Muriel, suggéra Mara. Dislui que tu as une amie de passage à Salisbury et que tu y restes pour la nuit. »

De nouveau, je me sentais poussée à faire une chose que je désirais faire, et pourtant effrayée de céder parce que cela bouleversait une routine. J'étais tentée, mais n'en protestai pas moins :

« Je ne peux pas, Mara. Je ne peux pas faire ça à tante Muriel. Elle serait froissée.

— Mais non, dit Mara. Et c'est *moi* qui lui téléphonerai. Allons au Cygne-Noir. »

Et c'est ce que nous fîmes, naturellement.

On se montra très gentil au Cygne-Noir. D'ailleurs, Mara obtenait toujours ce qu'elle voulait, rien que par son assurance ; et puis, elle était toujours si bien habillée... On lui donna une ravissante chambre à deux lits. Nous dûmes signer toutes deux. Personne ne sembla trouver à y redire.

« Maintenant, tu vas pouvoir rester avec moi », fit Mara.

Je dis :

« J'espère que les gens ne vont rien s'imaginer. »

J'avais l'impression d'attirer l'attention plus qu'à Londres. Tante Muriel était bien connue à Salisbury, un tas de gens me savaient sa nièce et son héritière. Mais j'avais tant envie de rester, de regarder Mara, de la tenir dans mes bras comme je l'avais déjà fait, me sentant comblée, en paix et heureuse. C'était tellement plus agréable d'être amoureuse de Mara que de tout autre, car, avec Mara, jusqu'alors, je n'avais connu que ces légères étreintes, ces baisers sur ses lèvres si douces et si belles, et cela semblait suffire, je ne désirais rien d'autre pendant des heures et des heures. A cette époque, je me réjouissais de ce que le côté physique ait un si petit rôle (du moins je le croyais) dans l'ensemble de nos sentiments, et je pensais que cela resterait ainsi ; et pourtant, déjà, je savais que ce ne serait pas toujours possible.

Mara s'empara du téléphone et appela tante Muriel. Assise en face d'elle, je pus entendre la voix de tante Muriel et tout parut si simple et si naturel que je me demandai pourquoi j'avais eu si peur. Mara dit qu'elle était une de mes amies, de passage à Salisbury et que j'avais été assez gentille pour venir à sa rencontre à la gare et la piloter en ville... et pouvais-je rester avec

74

elle car nous avions tant de choses à nous dire ? Nous étions au Cygne-Noir.

Tante Muriel fut un peu surprise, mais, elle aussi, se laissa impressionner par la distinction qui perçait dans la voix de Mara ; cette voix lui donnait l'assurance que tout était correct, ce qui réglait la question.

Alors, nous sentant très heureuses toutes deux, nous nous étreignîmes et je dis :

« Oh ! Mara, tu m'as tant manqué ! »

Et pourtant il y avait à peine deux jours que j'avais quitté Londres.

Mara était venue pour moi. Avait téléphoné, télégraphié, fait tout ce chemin pour moi, moi, Bettina Jones. Personne n'en avait jamais fait autant pour moi. Toujours les autres avaient exigé quelque chose de moi, mais ne m'avaient jamais rien donné ; du moins, ne m'avait-on jamais recherchée ni fait éprouver ce sentiment d'importance. Je n'oublierai jamais cela, me dis-je. C'est le véritable amour. A cet instant, j'aurais sacrifié ma vie pour Mara.

Je l'aidai à déballer ses affaires, à suspendre ses vêtements comme pour un long séjour, appréhendant déjà, en accrochant les cintres, le geste du lendemain qui les décrocherait.

J'étais prête à essuyer tout un interrogatoire de la part de tante Muriel quand je regagnai la ferme, le lendemain après le petit déjeuner, mais la pauvre fille se tracassait pour tout autre chose. La cuisinière polonaise avait eu une hémorragie la nuit précédente. Elle était menacée d'une fausse couche. Qu'elle eût essayé de la provoquer ou non, elle ne le disait pas. Je me mis aussitôt au travail et tante Muriel fut si soulagée de mon retour qu'elle ne me posa aucune question.

Nous mangeâmes du pâté froid et des pommes de terre au four préparées par Rhoda ; et tante Muriel déclara que Rhoda était une vraie bénédiction. Je vis qu'elle était un peu piquée de mon absence parce qu'elle se disait que j'aurais dû être là pour la tirer d'embarras. Je demandai si le médecin était venu voir la fille.

« Bien sûr, dit vivement tante Muriel, le docteur Sanders est venu. Je ne pouvais pas la laisser saigner à mort, n'est-ce pas ? »

Ainsi, au lieu de parler de mon absence, nous discutâmes des moyens de nous procurer une remplaçante et, après déjeuner, tante Muriel s'éclipsa en camionnette avec Rhoda, pour rendre visite à une de ses amies au village, qui connaîtrait peut-être quelqu'un de secourable. Mais il y avait pénurie de main-d'œuvre féminine, à cause de la guerre, et cette amie ne trouva personne à suggérer, sinon la vieille Mrs. Wood, soixante-quatorze ans et des rhumatismes, qui pourrait peut-être venir mettre en train le déjeuner, mais non se charger de la vaisselle ensuite.

Je lavai seule la vaisselle, puis fis une rapide incursion à l'étage, pour voir la Polonaise. Elle me parut parfaitement bien, grasse et resplendissante de santé, son bébé jouant sur le lit. En un sens, j'étais contente, parce que avec la Polonaise hors de course il y aurait davantage à faire, et tante Muriel n'aurait sans doute pas la tête à poser des questions sur Mara. J'avais comme une idée que tante Muriel était plus maligne qu'il ne semblait ; elle avait besoin de Rhoda et de moi pour les festivités de Noël et je crois bien qu'elle avait compris que nous n'étions plus aussi copines qu'auparavant. En tout cas, elle ne faisait plus de réflexions de ce genre : « Alors, qu'est-ce que vous venez encore de manigancer, toutes les deux ? » quand nous étions allées ensemble soigner les poulets ou que nous avions rentré du charbon pour la chaudière. C'était un tout petit détail, mais je l'avais remarqué : elle ne se servait plus jamais de l'expression *vous deux*, cette fois-ci.

Les deux jours suivants, nous eûmes fort à faire. La conversation roulait uniquement sur la poussière, le balayage, les légumes à éplucher, nos repas et la pâtée des poulets à préparer, et nous étions si fatiguées le soir que je n'avais aucune peine à m'endormir en oubliant Rhoda dans le lit voisin. Rhoda se levait toujours la première, quand je dormais encore ou faisais semblant. Et constamment je pensais à Mara et à cette nuit à Salisbury, et ce souvenir était comme une flamme brûlant en moi. Je comptais les jours sur le calendrier, dans mon impatience de rentrer à Londres, auprès de Mara.

Tante Muriel décida de donner quand même son arbre de Noël habituel pour les réfugiés, la veille de Noël. Ils seraient si déçus, autrement ! De toute façon, on l'attendait d'elle puisqu'elle était présidente du comité. Cela signifiait un surcroît de travail. Nous nous affairâmes en tous sens, Mrs. Wood arriva à la rescousse, quelqu'un confectionna des brioches, je coupai le pain et fis des sandwiches à la pâte d'anchois et au fromage. Après déjeuner, Rhoda et moi, nous entreprîmes de décorer la pièce pour la réception. Je repoussai les meubles contre les murs et fis disparaître dans la chambre de tante Muriel tous les objets de valeur, exactement comme je l'avais fait l'année précédente. Je roulai les tapis et les rangeai dans ma chambre. Tante Muriel s'occupait à la cuisine, la jeune Polonaise avait fini par se lever ; elle n'avait pas fait de fausse couche et ne saignait plus, aussi confectionnait-elle de petites tartelettes avec des fruits en conserve que tante Muriel avait reçus d'Amérique pour ses réfugiés. Tante Muriel, bien entendu, ne demanderait pas qui était le père, cela risquait trop de provoquer le départ de la Polonaise et, après tout, on n'avait rien à dire quand les hommes étaient si rares dans les parages et que, de toute façon, la natalité augmentait, et avec ces ATS[1] et ces WAAFS[2] qui faisaient le mur la nuit et marchaient pendant des kilomètres pour gagner Bulford et les autres camps de soldats... Elle ne pouvait plus feindre d'ignorer l'existence de la sexualité, faire sem-

1. Auxiliary Territorial Service.
2. Women Auxiliary Air Force (N.D.T.).

blant de croire qu'elle était réservée aux chiens, aux chats et aux poulets...

Rhoda, debout sur un escabeau, enroulait des serpentins de couleurs autour des lustres et décorait les murs de guirlandes de papier tressé, que nous avions mises de côté au dernier Noël. Je ne savais plus qu'entreprendre après avoir repoussé les meubles et roulé les tapis, et cela m'ennuyait de demander à Rhoda. Je me dis que je ferais aussi bien de m'attaquer à la décoration de l'arbre de Noël que Rhoda venait d'apporter. Aussi je le tirai, dans son gros pot à fleurs, au milieu de la pièce, sortis les guirlandes et les boules de verre, les étoiles et la neige de coton, rangée dans une grande boîte au fond d'un des placards du couloir, et je me mis au travail.

Alors, Rhoda descendit de l'escabeau et vint se planter derrière moi, de telle sorte que je dus finir par me retourner pour la regarder. Elle était furieuse. Sa bouche et ses mains tremblaient.

« Comment oses-tu ? dit-elle. C'est mon arbre. Je l'ai acheté pour tante Muriel, tu n'as pas à y toucher. Je vais le décorer moi-même. »

Cela me mit en colère.

« Eh bien, décore-le, dis-je. Je n'y toucherai pas, à ton sacré arbre. En fait, tu peux te charger de tout maintenant, si ça te chante.

— Oh ! non, pas de ça ! fit Rhoda. Tu vas rester ici pour m'aider, sinon je raconte tout à tante Muriel.

— Tout quoi ? dis-je. Ma chère Rhoda, est-ce que par hasard tu ne te conduirais pas comme la reine des imbéciles ?

— Je lui raconterai tout ce qu'il y a à savoir de toi et de cette créature mariée, aux ongles peints, cette Mrs. Daniels, dit Rodha. Tu m'as menti. Un homme, disais-tu. »

Elle cracha le mot.

« Imaginer que tu puisses décrocher un homme, *toi* ! Tu n'en serais jamais capable, voyons. »

Je dis :

« Tu n'as aucun droit de me parler sur ce ton.

78

— J'ai tous les droits, dit Rhoda. Je ne veux pas que tu te laisses embobiner par cette femme. Elle est toute peinturlurée et plus vieille que toi. Elle se sert de toi, voilà tout, tu ne le vois pas ?

— Exactement comme toi, dis-je. Toi aussi, tu t'es servie de moi, et tu es plus âgée que moi, *beaucoup* plus âgée. »

Elle me dévisagea, muette de colère. Je m'approchai d'elle, la forçant à reculer. J'avais envie de la frapper, de la gifler et, d'une autre manière aussi, de la frapper avec des mots, de la faire souffrir pour tout ce qu'elle m'avait fait, pour tout ce qu'elle m'avait pris, les sentiments que je lui avais prodigués dans leur primeur qui ne seraient plus jamais aussi sincères.

« Toi, dis-je, toi, pour commencer, tu n'as aucun droit de te trouver dans cette maison. Si tante Muriel savait la vérité sur ton compte, elle te mettrait dehors sur-le-champ.

— Red, fit-elle, Red, ne me parle pas comme cela. Je t'aime et j'ai besoin de toi. »

J'éclatai de rire.

« Dis-le à tante Muriel. Dis à tante Muriel comment tu t'es attaquée à moi parce que j'étais seule, comment tu prétendais que tu serais une mère pour moi, tu te souviens ? »

Elle s'appuya contre le divan en sanglotant. Je ne m'étais pas attendue à la voir s'effondrer si vite.

« Red, dit-elle, Red, je t'en prie, je ne me suis pas servie de toi, je t'aime vraiment. Pourquoi ne serions-nous pas comme auparavant ? Nous étions si heureuses.

— Tu as dix ans de plus que moi, dis-je. Dix ans. Et tu as connu des hommes. Plus d'un. Tu as même eu un bébé et tu t'es fait avorter une fois, ou, du moins, c'est ce que tu m'as dit un jour, même si tu l'as nié par la suite. Et c'est parce que ce type t'avais laissée tomber que tu as prétendu haïr les hommes et que tu es venue me trouver. C'est toi qui as tout déclenché. Tu m'as fait marcher.

— Mon Dieu, Red, dit Rhoda, ce que tu es cruelle,

vraiment ! Enfin, je peux te dire que cette femme se servira de toi, elle aussi, qu'elle te fait déjà marcher. Je parie qu'elle est malheureuse avec son mari et que tu lui sers de compensation. Parce qu'elle sait fichtrement bien que tu ne te décrocheras jamais un homme pour toi toute seule. Elle t'enverra promener quand elle en aura assez de toi et qu'elle se sera trouvé un autre homme. Je les connais, les femmes de ce genre. C'est une femme à hommes, pas du tout ton type. Elle s'amuse avec toi entre deux hommes, voilà tout. »

J'enfouis mes mains dans mes poches.

« Ça ne te regarde pas, Rhoda. Je suis capable de me débrouiller seule.

— Très bien, s'écria-t-elle. Continue avec cette saloperie d'arbre. Moi, je m'en vais. »

Elle se précipita hors de la pièce.

Je restai figée sur place un instant, les mains dans les poches, puis je les en tirai pour me remettre à garnir l'arbre. Mes mains tremblaient, je détestais ce tremblement et ces mains. « Rhoda nous a sans doute espionnées », pensai-je. Elle devait nous avoir vues au Cygne-Noir, peut-être lorsque nous dînions dans la salle du restaurant. « Tu n'auras jamais un homme à toi, tu n'auras jamais un homme à toi. » Eh bien, je n'en voulais pas, d'un homme. Mara m'aimait et elle valait un millier d'hommes.

« Tu es une sale bête, Rhoda », dis-je tout haut.

L'arbre de Noël des enfants des réfugiés fut une vraie corvée. J'avais l'esprit ailleurs et toute cette effroyable gaieté, cette affectation de trouver du plaisir aux jeux de société me donnait mal au cœur. Au beau milieu d'une partie de colin-maillard la cuisinière polonaise se remit à perdre son sang, et le docteur Sanders se montra très ennuyé lorsqu'il vint.

« Je croyais vous avoir dit qu'elle devait rester au lit une semaine. »

Il foudroya du regard tante Muriel.

Tante Muriel ne lui parla pas des tartelettes. La Polonaise sanglotait tout haut et criait comme si elle allait mourir d'une minute à l'autre. Les gosses se battaient à coups de pied, un nez se mit à saigner, en sorte qu'il y avait du sang partout et que tante Muriel déclara qu'elle ne donnerait plus jamais d'arbre de Noël, que c'était du temps, de la peine et de l'argent perdus. Et que les gens n'étaient que des ingrats, par le temps qui courait.

Ce spectacle et le bruit des enfants qui hurlaient durent déclencher quelque chose chez Rhoda ; cette nuit-là, elle sanglota dans son oreiller. Je fis semblant de ne pas l'entendre et, au bout d'un certain temps, elle s'endormit.

Alors que je somnolais, je me rappelai tout à coup les poulets. Je ne les avais pas enfermés pour la nuit et il était à parier que Rhoda ne l'aurait pas fait non plus. Mais plutôt que de l'interroger et de l'entendre encore renifler, j'enfilai mes vêtements, pris ma lampe et descendis. Comme de juste, personne n'y avait pensé. Ainsi j'eus une raison de plus d'être montée contre Rhoda. Il faisait si froid que je grelottai tout le long du chemin, en regagnant mon lit.

Rhoda partit le surlendemain de Noël, à la grande consternation de tante Muriel. Elle prétendit avoir reçu une lettre pressante d'une de ses cousines de Gloucester, qui n'allait pas bien, et qu'elle devait s'occuper des enfants de ladite cousine.

« Ma chère, vous êtes trop bonne », lui murmura tante Muriel.

Mais, quand Rhoda fut partie, tante Muriel dit que c'était vraiment un manque d'égards de sa part.

« Je n'avais jamais entendu Rhoda parler de ces cousins de Gloucester », fit-elle.

Je voyais qu'elle se demandait si Rhoda reviendrait aux prochaines vacances de Noël.

« Peut-être que je ferais mieux d'envisager d'inviter Eunice, dit-elle, pensant à ses poulets. C'est une si gentille jeune fille, qui aime tant la campagne, n'est-ce pas ? J'espère qu'elle a pris le dessus de cette histoire de conversion au catholicisme, maintenant. »

Eunice était une parente très éloignée de tante Muriel. Elle avait environ vingt-cinq ans et elle s'était affichée des années durant avec une jeune fille du nom de Jean. Elles étaient si constamment ensemble que leurs camarades masculins, à l'école d'agriculture, en plaisantaient. Si Eunice regardait tant soit peu quelqu'un d'autre, Jean lui tirait les cheveux et poussait des hurlements. Puis Eunice s'était convertie au catholicisme. D'abord, Jean ne parut pas s'en inquiéter. Mais lorsque Eunice entra dans la Confrérie des Enfants du Saint-Sacrement, Jean commença à la trouver mauvaise. Ensuite Eunice cessa de la voir aussi souvent et se mit à prier pour elle et Jean en fut de plus en plus déprimée, si bien qu'un beau jour elle avala une bonne dose de somnifère, et ce fut tout. Eunice promenait maintenant partout un air angélique et se montrait gentille avec tout le monde. Ce qui expliquait pourquoi tante Muriel pensait à elle pour ses poulets et pour diverses autres petites tâches à la ferme.

Enfin, les vacances furent terminées et, ma valise bouclée, quelques œufs mis dans un carton, je me retrouvai embrassant tante Muriel sur la joue, puis lui disant adieu de la main à la fenêtre du compartiment.

Quand j'arrivai à la gare de Waterloo, je pris un taxi avec l'intention de me faire conduire à Maybury Street. J'avais écrit à Mara pour lui annoncer mon retour et lui indiquer l'heure de mon train, et je m'étais à demi attendue à la trouver à la gare. Mais je savais qu'il fallait compter avec Karl ; et Mara ne m'avait ni écrit ni téléphoné une seconde fois. Mais à présent, Karl ou pas Karl, j'irai la voir ou, du moins,' voir la maison, en contempler les fenêtres. Puis, alors que j'étais presque arrivée, je pris peur à l'idée que Karl serait peut-être là, lui aussi, et qu'il trouverait bizarre que je sois venue avec une valise. Je devrais laisser la valise en bas.

Le portier me dit qu'il ne savait pas si Mrs. Daniels était là ou non, peut-être pourrais-je monter et sonner à la porte. Il me fit un petit signe de tête hautain et se replongea dans son journal. L'ascenseur s'éleva en frémissant. Je me plantai devant la porte de l'appartement et appuyai sur la sonnette. Je recommençai par deux fois. Puis encore une autre. Personne ne vint.

Au bout d'un instant, je repris l'ascenseur pour descendre. Les rues me semblèrent changées, vides. Ma valise (le type me regarda comme s'il espérait un pourboire pour me l'avoir gardée), était lourde. Je la traînai jusqu'au coin de la rue et, soudain, j'aperçus Mara qui venait dans ma direction, puis se mettait à courir, à courir vers moi, et je courus vers elle, valise et tout, et nous nous rejoignîmes ; et je l'entendis panteler, reprendre péniblement son souffle.

« Red, Red, j'ai dû accompagner Karl à la gare et je t'ai manquée d'à peu près dix minutes. »

Nous nous dévisageâmes un instant, en riant, et puis je l'accompagnai chez elle. Karl avait passé à Londres la plus grande partie des vacances, il venait juste de partir ce jour-là. C'était une vraie chance. Nous étions ravies.

« Cela m'a demandé un effort considérable », dit-elle, et je la vis prendre cette expression angoissée que je lui connaissais déjà.

Mais nous n'avions pas envie de parler de Karl. Ce jour-là, nous décidâmes d'avoir un logement à nous. Mara, en fait, avait déjà tout arrangé. Elle avait trouvé une chambre meublée, dans une très jolie maison, à Bloomsbury, et elle avait décidé que nous la partagerions. On y était beaucoup mieux que chez Nancy, mais Mara n'y paraissait quand même pas à sa place ; cependant, ce ne serait pas trop loin pour elle et elle pourrait y séjourner avec moi pendant les voyages de Karl et, quand il était là, réintégrer leur appartement. C'était mieux que rien.

La chambre était agréable et nous avions une kitchenette qui nous permettait de préparer notre petit déjeuner et tout ce que nous voulions. Chaque jour, Mara retournait chez elle, au cas où Karl serait rentré — « mais il me prévient toujours à l'avance de son retour » — pour y prendre son courrier et le lait, et pour ne pas trop éveiller les soupçons du portier. Ainsi nous pûmes vivre ensemble bien davantage.

J'achetai un petit carnet bleu pour nos dépenses communes ; et j'y notais nos achats : café pour le petit déjeuner, légumes, tout ce que nous achetions ensemble.

Maintenant, j'étais réellement heureuse. Je vivais avec Mara. Nous ne passions jamais la nuit chez elle, mais je l'y accompagnais souvent l'après-midi en sortant de Horsham, et nous prenions chacune un bain. Mara mettait aussi un peu de désordre dans l'appartement pour faire croire qu'elle y avait dormi ; parfois, nous achetions aussi quelques provisions et nous mangions là avant de regagner notre chambre meublée. Ou bien nous allions au restaurant, mais cela m'ennuyait toujours un peu, alors que Mara en riait et disait : « J'aime bien manger, moi. » Elle ne me laissait jamais payer ma part de la note du restaurant.

Puis Karl revint subitement, sans prévenir. Par bonheur, c'était un après-midi où j'avais accompagné Mara chez elle. Nous trouvâmes le major-domo d'en bas qui souriait ; et il dit à Mara :

« Mr. Daniels vient de rentrer, madame, je lui ai ouvert la porte à l'instant. »

Ainsi, je laissai Mara monter seule. J'avais comme une idée que ce type, en bas, savait à quoi s'en tenir à notre sujet et cela me mettait très mal à l'aise.

J'essayai de ne pas trop me tracasser. Je me dis que dès que Karl serait reparti, Mara reviendrait passer la nuit avec moi, mais cette nuit-là fut atroce, atroce, de même que les jours et les nuits suivants. A Horsham, nous ne pouvions parler de cela, nous faisions semblant de rien, mais nous nous étreignions farouchement, nous nous accrochions l'une à l'autre avant que je laisse Mara quitter notre chambre, puis je l'accompagnais jusqu'au coin de sa rue, comme je l'avais toujours fait ; mais je ne montais pas chez elle et elle ne me le demandait pas. Je savais que quelque détail nous aurait trahi. Puis Karl repartit et nous reprîmes notre vie commune.

Nous achetâmes différents objets parce que cela nous donnait l'impression d'être plus proches encore : une bibliothèque d'occasion, que nous passâmes toute une soirée à frotter au papier de verre et à repeindre, une cafetière en vente dans un bric-à-brac, quelques tableaux. Mara apporta une radio, parce qu'elle savait que j'aimais écouter de la musique ou n'importe quel programme tout en travaillant. Pour sa part, elle n'aimait pas la radio et ne l'allumait jamais de son propre mouvement. Moi, dès que j'entrais et avant même d'ôter mon manteau, je m'approchais du poste pour tourner le bouton ; mais c'est que j'avais toujours envie de savoir les nouvelles, contrairement à Mara.

« On dirait que les événements ne te touchent absolument pas, lui disais-je La guerre pourrait finir sans que tu t'en aperçoives.

— Ils me touchent, disait Mara, c'est pour cela que je n'en veux rien savoir. »

Et cela me plut chez elle ; cela me paraissait une supériorité, un trait grandiose, d'être touchée par les événements au point de ne pouvoir supporter d'écouter la radio.

Aux alentours du premier février, Daphné se mit à porter une bague de fiançailles et expliqua en minaudant que son fiancé était un missionnaire-médecin, qu'ils partiraient pour l'Afrique dès que la guerre serait finie, pour y travailler, l'un à l'école, l'autre à l'hôpital de la Mission.

« Félicitations, dis-je. J'espère que tu seras aussi heureuse que possible. »

Et elle me dit :

« Oh ! Red, tu es un amour ! »

Mais elle me parlait sur le ton qu'elle aurait

employé avec un garçon et, pour une raison ou pour une autre, cela me déplut. En rentrant chez nous ce soir-là, avec Mara, j'étais énervée.

Je tournai le bouton de la radio, puis m'approchai du miroir pour m'y regarder, moi, Bettina Jones. Je portais une jupe brune, que je relevai pour m'examiner les jambes.

« Tu as de jolies jambes, Red · », dit Mara.

Elle aussi se reflétait dans la glace, derrière la jambe que j'étendais pour en examiner le profil. Je la voyais juste au-dessus de mon tibia.

« Je me demandais simplement ce que cette petite oie de Daphné a, que je n'ai pas, moi.

— Oh ! Red, dit Mara, ce n'est qu'une petite oie, comme tu dis. Tu es vraiment très jolie, ma chérie, il faudrait seulement que tu t'arranges les cheveux et que tu t'achètes quelques vêtements convenables. »

Mara avait déjà profité de ce qu'il me restait des points textiles pour me pousser à m'acheter des vêtements seyants ; elle voulait aussi que je me coiffe différemment. Mais à chaque fois je me tournais vers elle pour l'embrasser et dire :

« Pas mon genre, chérie. Ça t'est réservé, ça. »

Mais, ce jour-là, je m'examinai, je m'approchai du miroir pour regarder mes yeux, mes sourcils, mon nez, ma bouche. Je me frottai les joues. J'avais toujours eu tendance aux boutons, mais, depuis que je connaissais Mara, que je me nourrissais mieux et que j'étais heureuse, j'avais pris une jolie peau.

Mara vint derrière moi et me releva les cheveux.

« Tu devrais les couper, dit-elle, et te coiffer avec une frange, comme ça. Là, laisse-moi te montrer. »

Elle les écarta de mon visage en les tordant un peu et en ramena la masse en arrière pour que je juge de l'effet.

« Coupe-les-moi, dis-je, tu sais si bien te coiffer seule, Mara. »

Elle m'cntoura le cou d'une serviette et me coupa les cheveux, tandis que je la regardais faire. Quand elle eut fini, je semblais une autre personne, mais le résultat n'était pas tout à fait celui que nous avions escompté, l'une et l'autre.

« Il vaudrait mieux que tu ailles chez un vrai coiffeur, fit Mara.

— C'est parfait », dis-je.

Et je me tapotai les cheveux, retournai l'extrémité des mèches. Ça paraissait un peu bizzare.

« Oh ! Red, fit Mara d'un ton désolé. Je peux faire ce que je veux de mes cheveux, mais avec les tiens je n'y arrive pas aussi bien, on dirait.

— C'est adorable », dis-je, mais je n'étais pas ravie.

Le lendemain, elle m'obligea à me rendre chez un coiffeur de Bond Street, où l'on m'arrangea et me coupa encore un peu les cheveux ; mais je me trouvai une drôle de tête et j'en eus pour une belle somme, douze shillings.

Puis je m'achetai quelques vêtements. Mais, dans les magasins, je me sentais toute gênée quand j'essayais quelque chose. Finalement je choisis une jolie robe écossaise avec une ceinture de cuir, mais, par la suite, je ne la portai guère. Comme le disait Mara, elle savait ce qui lui allait, seulement, sur moi, cela ne faisait pas le même effet. Et les vendeuses ne me furent d'aucun secours. Chez Harrods, une femme aux grands airs, tout habillée de noir, nous apporta des modèles garnis de volants et de nœuds, des modèles très chers, exclusifs, et non de la confection.

« Pour Madame, il faut quelque chose de *féminin*, dit-elle.

— La garce ! » murmurai-je quand elle eut tourné le dos.

La plupart du temps, nous étions prodigieusement heureuses. Ce qui nous était arrivé nous semblait extraordinaire, inouï ; nous ne nous lassions pas de notre émerveillement, nous étions persuadées que personne n'avait jamais rien éprouvé de semblable, sauf les poètes, et les poètes avaient justement écrit pour nous. Je n'avais pas d'inquiétudes, aucun de ces doutes torturants que j'avais connus avec Rhoda. J'étais sûre de tenir le véritable amour, enfin. Je cessai d'interroger le passé et, toutes deux, nous rêvions de l'avenir, de tout ce que nous ferions ensemble plus tard. Car, de cela, nous ne doutions guère, Mara et moi, que nous étions faites l'une pour l'autre, et que nous vivrions ensemble des années et des années. C'est ce que nous nous disions toutes deux.

Karl était reparti pour le Continent, mais cette fois encore, il revint à l'improviste, comme s'il avait soupçonné quelque chose. Par bonheur, il n'arriva pas la nuit, mais le soir, et Mara n'avait pas encore quitté l'appartement lorsqu'il se montra. Je n'y avais pas accompagné Mara, j'étais allée chez nous pour préparer le dîner. J'attendis longtemps, mais Mara ne vint pas. Alors je tentai de téléphoner. Karl me répondit, disant : « Karl Daniels à l'appareil », en sorte que je bredouillai : « C'est une erreur », en étouffant ma voix, et raccrochai.

Je passai encore une nuit atroce, et le lendemain matin Mara avait une mine épouvantable.

« Je ne peux pas continuer ainsi, dit-elle.

— Qu'a-t-il dit ? demandai-je.

— Rien, rien du tout », fit-elle.

Mais Karl ne resta pas longtemps, quelques jours à peine, puis il repartit. Et, dans l'intervalle, Mara avait dû calmer ses soupçons, car il dit qu'il ne reviendrait pas avant un mois. Je craignais un piège, mais Mara me rassura, me dit que Karl semblait parfaitement heureux. Et puis elle pleura beaucoup pendant la nuit, mais elle ne voulut pas m'expliquer pourquoi.

Cette alerte nous rendit toutes deux nerveuses et, parfois, Mara passait la nuit chez elle, simplement parce qu'elle croyait avoir un pressentiment du retour de Karl.

« N'est-ce pas que ce serait merveilleux si nous pouvions nous marier pour de bon et vivre ensemble, dit-elle.

— Oui », fis-je.

Nous nous *sentions* mariées, en fait, nous avions l'impression de nous appartenir mutuellement. Lorsque Karl n'était pas là.

Au début de mars, nous nous lançâmes dans de grandes promenades, le soir. Nous longions les quais, ou bien nous allions à Hyde Park. Nous errions dans les rues baignées d'un crépuscule interminable et, un jour, poussées par un flot d'êtres humains qui s'écoulait dans cette direction, nous allâmes jusqu'à Piccadilly Circus. Là, adossés aux murs des immeubles ou aux rideaux baissés des boutiques, il y avait une foule de soldats, Français de la France Libre, Polonais, mais surtout G.I. Et, convergeant vers eux, au point que chaque homme était entouré, harcelé, comme l'est un rocher par les vagues, apparaissaient des femmes de tout âge, taille et aspect, grande marée envahissante qui montait, s'étendait, encerclait tout. Et d'autres femmes encore ne cessaient d'arriver, poussées par le même courant qui nous avait amenées là, en sorte que la place en semblait pleine — quatre, cinq, plus peut-être, pour chaque homme. Mara et moi, nous nous éloignâmes sans nous presser, en décrivant un cercle autour du socle de l'Eros disparu, fascinées et horrifiées parce que, faute de comprendre avec nos corps cette faim qui tenaillait les autres, elle nous paraissait bizarre, étrange, anormale, dégradante et pourtant envoûtante, mais d'un envoûtement horrible auquel nous avions échappé, auquel nous nous réjouissions d'avoir échappé. Nous dépassâmes avec indifférence les groupes titubants, rentrâmes chez nous du pas dédaigneux et libre qu'ont les chats, abandonnant sans même un regard en arrière ce troupeau de femmes qui piétinait sur place, et les chuchotements et les rires.

Sur le chemin du retour, nous parlâmes de ce que nous avions vu, nous demandant pourquoi de telles choses existaient, nous étonnant tout haut, ainsi qu'on le fait quand on discute d'un sujet dont on se sent détaché.

« Je suppose que c'est là ce qu'il faut considérer comme le normal, dit Mara. C'est nous qui sommes anormales, Red.

— Je ne sais pas, répliquai-je. Je n'aime pas le mot « anormal ».

— Sans doute sommes-nous ce qu'on appelle des lesbiennes, dit Mara.

— En ce cas, j'imagine que nous le sommes de naissance, dis-je, toutes les deux.

— Chez moi, ce n'est pas de naissance, dit Mara. Du moins, je ne le crois pas. Mais maintenant, Red, je ne voudrais pas être différente.

— Moi non plus », dis-je.

Un univers suffisant, notre petit univers de confiance et de tendresse. Tout le reste, choses et êtres, s'éloignait, fantômes brumeux d'une pièce fantôme que nous regardions se dérouler, mais sans que gestes et répliques nous touchent. Nous étions heureuses et personne ne venait nous ennuyer.

Mara était persuadée qu'elle n'aimerait plus jamais un homme.

« Je me figurais être amoureuse de Karl quand je l'ai épousé, dit-elle. Mais il est horrible, comme tous les hommes. Je crois que je n'en laisserai plus un seul me toucher. »

Nous nous absorbâmes plus encore dans notre amour, et nous nous sentions protégées, à l'abri de cet autre besoin qui poussait les femmes vers Piccadilly Circus et vers les G.I. américains. Pourtant, ce fut lorsque nous nous pensions le mieux immunisées contre tout changement que le changement survint.

Jusqu'alors nous n'avions pas fait l'amour, du moins pas au sens où on l'entend de deux femmes qui accomplissent ensemble le rituel des gestes tendant à la procréation et à l'assouvissement, l'une donnant, l'autre recevant. J'ignore pourquoi il en était ainsi ; mais il y avait toujours eu entre nous une certaine réticence, une sorte de timidité douce et tendre, un sentiment profond qui nous éloignait de toute tentative physique. Mais, désormais, nous passions trop de temps ensemble, les soirées étaient plus longues, elles s'étiraient en flâneries énervantes dans une lumière qui n'en finissait pas. Le désir nous habitait ; Mara était passionnée, mais, le croyais-je, ignorante, et je ne me décidais pas, je ne pouvais me décider à cette caresse qui, bien que limitée, aurait pu la combler ; peut-être mes expériences avec Rhoda m'avaient-elles aigrie, laissé un savoir-faire trop lucide que je n'avais pas envie de remettre en œuvre.

Je fermais les yeux pour me défendre contre la ruée du passé, souvenirs à présent dénués de sens et, pour cela même, devenus ridicules et obscènes. Gestes, caresses, actes qui, à l'instant de leur accomplissement, avaient semblé grandioses, voire saints, ou du moins excitants et agréables. Il m'était pénible de penser que, certains de ces gestes et de ces actes, je les accomplirais maintenant avec Mara. Car, bien que mon esprit protestât que ce n'était pas la même chose, pas du tout la même chose, au plus profond de moi je savais que, par moments, devant la bouche de Mara, ses yeux clos, un rappel de Rhoda s'imposerait à moi, et j'en avais peur. Même au début, avant que nous n'ayons rien entrepris encore, tout était entaché de déjà-fait ; l'horreur que me causait cette répétition s'interposait entre Mara et moi. Ce que je désirais unique portait ainsi, du fait des circonstances et même si je me hâtais de l'étouffer, une ressemblance avec un souvenir désormais renié. Je me secouais pour me débarrasser de ces impressions. Je fermais sans hésiter la porte sur Rhoda, rompant définitivement avec elle en mettant les choses au point une fois pour toutes :

« Enfin, Rhoda est une amie de tante Muriel et elle est venue passer les vacances avec nous ; mais je l'avais laissée loin derrière moi, en quelque sorte, avant même de te connaître. Je suis venue à Londres, je suis entrée à Horsham, et puis il y a eu Andy. »

J'avais parlé d'Andy à Mara parce qu'il ne comptait vraiment pas, parce que je ne voulais pas faire semblant de n'avoir pas connu d'hommes.

« Mais tu n'aimais pas Andy, n'est-ce pas ? Tu ne l'as jamais aimé. Et tu aimais Rhoda, me dit-elle un jour à propos de rien. Pourtant peut-être qu'avec le temps tu en viendras à me préférer Andy.

— Oh ! Seigneur, non ! dis-je. S'il y a une chose dont je suis sûre, c'est bien qu'Andy ne signifie rien et ne signifiera jamais rien pour moi. »

Elle se coula contre moi et je fus reprise par le sentiment que je la protégeais et qu'elle me protégeait. Mais cela ne devait pas durer. Au bout de quelque temps, je ne pus plus supporter cette paix entre nous. Je devins irritable, j'étais furieuse de voir que nos actes et nos paroles n'aboutissaient jamais à cette consommation dont nous rêvions mais que nous ne pouvions réaliser.

Et ainsi je compris qu'avec Mara il ne me serait pas possible de feindre une virilité que je ne possédais pas. Surtout pas en usant des artifices qui sont le lot et la condamnation du genre de femmes que nous prétendions être. Avec Mara, devant ses yeux limpides, toute contrefaçon ou parodie du désir était inconcevable. Et son chuchotement effrayé : « Non non ! » m'arrêtait.

Une nuit de déchirement, tandis que j'étais à bout de nerfs et criais : « Pour l'amour du Ciel, oh ! pour l'amour du Ciel... » en repoussant les draps à coups de pied, dans ma frustration, Mara se leva et me chuchota : « Etends-toi. » Et puis soudain tout se passa différemment, fut inversé, car, jusqu'alors, j'avais toujours donné, et dans le rôle de l'amant, avec mes mains, ma bouche et le simulacre de la domination ; mais, cette fois, il n'en était plus ainsi, j'étais enfin la femme. J'ignore du fond de quelle innocence ou de quel instinct Mara put agir, mais je sais que je fus aimée, et je pris conscience d'être femme et désirable.

Mais Mara ne voulut pas me laisser l'aimer de la même façon. Et il nous en resta une vague irritation, comme toujours avec ce qui n'est qu'à moitié satisfaisant.

92

Cependant c'était une privation bien légère au regard de tout le reste : la plénitude, sauf en ceci que nous ne parvenions pas tout à fait, mais presque, à la satisfaction physique ; la sécurité et la confiance ; la conscience d'aimer et d'être aimée. La tendresse, qui rendait les manifestations imparfaites de notre amour plus satisfaisantes que tout ce que nous avions connu jusque-là, nous faisait reculer devant l'idée de demander davantage, de trop demander. Nous n'aurions fait qu'explorer les domaines du plaisir physique ; dégoût et satiété auraient suivi, et nous nous serions condamnées nous-mêmes. Ainsi nous pensions que ce que nous avions suffisait.

Puis ce fut brusquement le printemps, le 8 mai, la victoire qui commença de façon plutôt artificielle, car la radio et les journaux lui donnaient un air lointain au lieu de la rendre tangible, et puis dont on sentait soudain la réalité, la portée et le bonheur quand on descendait se plonger dans les rues folles, hurlantes d'un délire de joie et de manifestations d'exubérance.

Ce fut avec Andy, Andy qui avait pris soin de demander mon adresse à Horsham et qui savait où j'habitais maintenant, et avec une bande d'étudiants de Saint Thomas et de Bart que je dansai dans Piccadilly Circus, lançai des coups de sifflet, acclamai les autobus et chantai jusqu'à l'enrouement, et qu'enfin je me laissai entraîner à passer la nuit dans un *pub* bondé, pour rentrer chez moi avec un horrible mal de tête et m'enfermer dans ma chambre, en déjouant les manigances d'Andy — Andy qui se lançait dans un tas de projets pour après la guerre et qui me demandait de ne pas faire la rabat-joie ni la pimbêche moyenâgeuse. Et la chambre était vide, et je me jetai sur le lit de Mara, cherchant l'odeur de ses cheveux sur l'oreiller et pleurant jusqu'à tomber dans un sommeil d'ivrogne.

L'absence de Mara s'expliquait par le retour de

Karl. Elle ne vint pas ce jour-là, ni le suivant, ni le jour d'après non plus.

Le lendemain après-midi, Andy vint s'excuser et nous prîmes une tasse de café ensemble. Nous allâmes au cinéma, à l'Everyman, voir Anton Walbrook. Nous mangeâmes quelques sandwiches après la séance, puis je me hâtai de rentrer parce que je craignais que Mara ne soit revenue. Mais elle n'était pas là, et je me sentis submergée de solitude au point que mes jambes se dérobaient sous moi. Alors je me rendis chez Nancy et là, je trouvai Nancy en train d'éponger le lino de la table, et le chat qui se baladait parmi les assiettes et les tasses sales ; et Edward avec sa pipe, et Andy qui poussa un hurlement à l'idée que j'étais venue pour lui. Mais non, je m'ennuyais simplement de Mara. Nous nous assîmes autour de la table pour prendre du thé, et Nancy ouvrit une boîte de pêches au sirop qu'elle gardait en réserve depuis 1942. Et plus tard nous bûmes tous de la bière, et Nancy finit par être très ivre et se mit à pousser de petits cris parce que Edward lui fourrait une main dans son corsage. Ils ne tardèrent pas à s'éclipser tous deux. Puis je ne sais trop comment, je me retrouvai dans ma chambre avec Andy qui m'appelait « ma vieille » et débitait des mots grossiers, mais excitants aussi, en un sens — et j'essayais de le repousser, mais je n'en avais plus la force, et pendant qu'il se hissait sur moi et ensuite, mon cœur pleurait : Mara, Mara, Mara, et je ne ressentis rien, rien du tout.

Au retour de Mara, j'essayai de la blesser autant qu'elle m'avait blessée. Quand les êtres humains souffrent, ils se vengent toujours sur l'objet de leur amour, parce que l'objet de leur amour est à leur merci. C'est plus fort qu'eux. Cela remonte à Adam se vengeant sur Eve, disant à Dieu que c'était elle la coupable ; et tout au long de la vie, il nous faut tailler et déchirer et gâcher notre amour pour reproduire le supplice originel de la naissance, qui est amour et haine, joie et souffrance, indissolublement liés. Ce que j'ai fait à Mara, je le fais maintenant à Andy, mais différemment parce que je ne l'aime pas, lui, il m'appartient seulement. A titre d'épouse, je m'arrange pour qu'il doute sans cesse de lui-même, de sa virilité, en l'humiliant, en le harcelant pour ses retards aux repas et en le rationnant pour ce qui est du lit. En fait, je m'en moque complètement, mais c'est une façon de passer le temps, cela renforce la sécurité de mon mariage, c'est un petit coup sec sur la chaîne que porte Andy, ça lui rappelle aussi qu'il est solidement emprisonné par moi. Mara m'avait blessée ; elle avait passé trois jours avec Karl. Il n'y avait aucune sécurité auprès d'elle, rien qu'une crainte constante de la perdre ; et la soie brillante dont est tressé l'amour s'abîme peut-être plus rapidement, montre l'usure plus vite que le chanvre des cordes du mariage.

« Eh bien, que puis-je pour votre service ? » dis-je, quand elle arriva hors d'haleine, le quatrième jour ; et je vis la joie s'effacer de son visage, l'incertitude se glisser dans son sourire. Puis elle décida que c'était de l'affection de ma part, j'avais toujours des manières un peu abruptes, et elle interpréta mon accueil pour ce qu'il était en fait, une preuve qu'elle m'avait manqué. Bien sûr que c'était ça, mais elle n'avait pas la moindre idée de ce que j'allais lui faire payer pour avoir souffert de son absence.

Elle m'étreignait quand je lui portai le second coup :

« Tu t'es bien amusée avec Karl ?
— Oh ! Red ! »

Elle enfouit son visage dans mon chandail, y frottant sa joue, comme un chat qui se caresse à vous, plaintive, suppliante.

« Ne parlons pas de cela, Red. Tu sais que c'est horrible. Je suis là, maintenant, c'est tout ce qui compte. »

Mais je ne voulus pas la laisser écarter son angoisse, je ne voulus pas lui donner la tendresse et la paix qu'elle cherchait, et pourtant je voyais comme elle avait maigri pendant ces trois jours avec Karl, je lui voyais des cernes noirs sous les yeux. Et maintenant, c'est à peine si je peux supporter l'idée de la cruauté dont j'ai fait preuve, c'est ma punition. Dire que j'ai repoussé Mara, la prenant aux épaules, la forçant à me regarder, tandis que je lui disais :

« Qu'est-ce qu'il t'a fait, cette fois ? Dis-le-moi. C'est un homme, n'est-ce pas, ce précieux mari que tu as ? »

Et, bien entendu, ce fut atroce parce qu'elle accepta cette cruauté, elle se mit à pleurer. Elle croyait l'avoir méritée puisque j'étais blessée, elle croyait que je ne pouvais faire autrement que de la frapper avec les souvenirs qu'elle fuyait, tant j'étais atteinte dans mon amour pour elle. Et ainsi, de même que Rhoda, Mara me fournit une excuse pour me montrer cruelle envers elle, et cela me soulagea de lui faire mal, c'était presque une joie ; et ensuite il me devint impossible de changer d'attitude, de cesser de la blesser quand l'envie m'en prenait. Je ne pouvais revenir en arrière, lui avouer que c'était à cause de ce qui m'était arrivé la nuit précédente avec Andy que je cherchais à la faire parler de Karl. Je continuai à feindre une jalousie à l'état pur, née de mon amour pour elle. Ce fut facile parce que Mara s'y laissa prendre aussitôt. Elle possédait une simplicité essentielle en ce qui concernait les sentiments, elle était trop prompte à prendre le blâme sur elle et incapable d'imaginer la duplicité avec laquelle je me servais de mes émotions. Si seulement elle m'avait arrêtée alors, si seulement elle m'avait tenu tête !... Mais non. Elle se mit à pleurer, essaya de me réconforter alors que c'était elle qui souffrait. Et maintenant encore je m'étonne que Mara ait été si naïve, si puérile dans sa conviction qu'il n'y avait jamais d'arrière-pensée dans ce que je disais ou faisais la concernant. Elle pleura et, naturellement, elle m'expliqua tout bas, tandis que je la tenais dans mes bras, à quel point elle haïssait Karl ; et j'en éprouvai un sentiment de triomphe et de puissance, tel que je n'en avais encore jamais connu.

« Je vais mettre fin à tout cela, dit-elle. Tu vas voir.

— Comment ? demandai-je.

— Je ne peux pas encore t'expliquer, chérie, mais je prépare le terrain pour que nous soyons libres et que nous puissions vivre ensemble toujours. »

Bien entendu, je n'en crus pas un mot ; ce n'est pas facile de se débarrasser d'un mari.

« Tu ne pourras jamais te débarrasser de Karl », dis-je.

Mais j'étais heureuse de nouveau, reprise de cet extravagant et absurde bonheur qui semble solide, éternel, alors qu'il est déjà en train de se corrompre entre nos mains alors que nous lui avons déjà porté nous-mêmes le coup fatal.

Ce fut deux ou trois jours plus tard, je crois (ma mémoire hésite, peut-être que je préfère ne pas me souvenir) que j'arrachai à Mara le récit de ce qui s'était passé entre elle et Karl.

Une chose en amène une autre ; quand il pleut, les filets d'eau mordent de plus en plus profondément dans la terre. C'était facile, maintenant que Mara avait sangloté une fois, de la faire sangloter encore, une fois par semaine, à peu près. Facile et bizarrement satisfaisant. L'image que j'avais d'elle avait perdu un peu de sa fascination, emportée par les larmes. Dans ma déception de la voir vulnérable, de savoir que je pouvais la faire pleurer, je la fis pleurer encore.

« Dis-le-moi, il faut que tu me le dises. Je ne peux pas continuer ainsi », dis-je, en mettant dans ma voix une note désespérée, brusque et en me redressant dans le lit. Je ne ressentais rien, pourtant je réussis à me montrer au point que je me fis presque illusion à moi-même, tandis que je secouais Mara, en disant :

« Je veux savoir la vérité sur Karl, tu entends. Je ne peux plus supporter cet état de choses.

— Oh ! Red, dit-elle (en pleurant, bien sûr), tu me fais mal, Red.

— Et toi, que crois-tu que tu me fasses ? »

Même à mes propres oreilles, le ton parut faux, comment Mara put-elle s'y laisser prendre ? Pour peu qu'elle eût fait volte-face, dit froidement : « Ne sois pas stupide, Red, cesse cette comédie », j'aurais... j'aurais été ravie, de nouveau transportée d'amour, je serais redevenue son esclave dévouée, comme au temps où elle était belle et inaccessible et portait de petits anneaux d'or aux oreilles. Elle demeurait belle à mes yeux, mais elle était douce et tendre, et maintenant sa beauté m'irritait. J'avais l'air d'une véritable épave auprès d'elle, quand nous sortions ensemble, et je continuais d'avoir des cheveux impossibles.

« De quoi crois-tu que tu as l'air, à filer doux comme ça devant Karl, chaque fois qu'il revient ? Comment puis-je savoir si c'est vrai que tu ne t'entends pas bien avec lui ? Il faut que je sache. »

Et ainsi je lui arrachai la vérité. Et à présent j'ai honte, bien que sur le moment, lorsqu'elle eut fini de tout me raconter, je me sois rejetée en arrière, les yeux grands ouverts sur le plafond obscur en disant froidement :

« C'est tout ? »

Elle ne me répondit pas ; je n'entendais que son souffle léger, longuement retenu. Bientôt je m'endormis. Peut-être avais-je l'excuse de n'avoir pas compris, de ne pas savoir. Pour comprendre une souffrance, il faut l'avoir subie, et puis je n'avais pas assez d'imagination, l'aptitude à aimer m'avait été ravie trop tôt, comme il arrive à beaucoup d'entre nous. Je dormis, et je me souviens qu'au réveil, le lendemain matin, je me suis sentie contente et excitée, de bonne humeur comme je ne l'avais pas été depuis longtemps.

Et maintenant, c'est tout juste si je peux supporter d'écrire ceci : la souffrance que je n'ai pas ressentie sur le moment m'accable après coup avec une force que je ne croyais pas possible. J'espère que Mara a oublié avec le temps, ne ressent pas ce que je ressens à présent. J'espère qu'elle m'a pardonné ; et qu'à me faire ce récit qui la déchirait, elle a éprouvé un soulagement, au lieu de porter cette souffrance en elle, comme un enfant à naître, semaine après semaine, ainsi que je l'ai fait.

A certains d'entre nous, on a appris à défigurer l'amour, à en faire quelque chose d'obscène. Nombreux sont ceux qui, parce qu'on leur a fait peur de l'amour, sont voués à la laideur en pensée et en action. Ils ne font plus confiance à la tendresse ; et si l'on n'éprouve pas de tendresse envers son partenaire, il ne reste pas grand-chose, si ce n'est un enchaînement triste et rageur de sensations et de gestes. Karl, comme beaucoup d'hommes, ne voyait en l'amour ou en ce qu'il appelait l'amour, qu'un moyen de domination, une façon d'imposer sa volonté ; et mieux valait l'imposer sur quelque chose d'un peu corrompu, d'un peu répugnant, qui excitait l'appétit comme le fait le gibier faisandé. Engendrer la résistance, et puis l'écraser et, par là, affirmer son autorité, voilà comment nous assouvissons nos haines contenues. Karl agissait ainsi, non par méchanceté, mais parce que la sexualité lui offrait, comme à tant d'hommes, le moyen d'oublier sa faiblesse ; pour lui, on s'adonnait à l'amour comme on perpètre un meurtre, mais, au contraire du meurtre, avec impunité.

A présent, je comprends tout cela, à cause de Mara, à cause d'Andy. Je me prête à cette lutte empêtrée, vite apaisée ; moi aussi, je me replie sur moi-même et je m'accommode de ne rien sentir, je m'accommode de vengeance en place de générosité. Tant que la radio marche à plein volume, je pense à autre chose. C'est supportable. Vraiment. Je pense au déjeuner du lendemain ou à ce que j'achèterai chez Harrods pour le petit. Et lorsque Andy a fini, je le hais tranquillement, je le méprise et je me précipite dans la salle de bain pour me laver, me laver. Et je sais m'y prendre pour le dépouiller de sa virilité, peu à peu, à force de le harceler, en sorte qu'il ne reste plus de lui qu'un corps qui s'apprête à l'amour, qui prétend encore agir en mâle, mais qui y renonce vite, désormais, devenant rapidement flasque et sans force, et plus vite c'est, mieux ça vaut pour moi. Il est vraiment au bord de l'impuissance. Je le sais et il le sait, mais nous n'en parlons jamais et je le surveille pour qu'il n'aille pas chercher ailleurs et il a peur de moi, je le sais. Que je l'y prenne à essayer seulement du petit jeu clandestin habituel, je le lui ferai payer. Et payer. Je l'ai percé à jour, Andy.

Mais Mara ne perçait personne à jour. Elle était incapable de laisser vagabonder son esprit pendant que Karl pratiquait sa gymnastique, elle ne pouvait oublier ce qui se passait ni faire comme si tout allait bien. Elle aurait voulu que l'amour soit une chose franche, faite au grand jour, une chose propre et tendre et non qu'il appartienne à ce trouble demi-sommeil dans lequel nous nous enfouissons tous, les yeux fermés.

Moi, je peux me venger sur Andy en lui donnant l'impression qu'il est un type ignoble qui doit se faire pardonner ce qu'il fait là. Mais Mara ne pouvait se venger sur Karl, parce qu'elle ignorait ce qu'elle avait à pardonner. Et Karl a dû la haïr, précisément parce qu'elle était incapable de rire bêtement lorsqu'il la couvait d'un regard polisson, incapable de lui murmurer, pour le faire se pâmer, les mots obscènes qu'il désirait entendre ; et quand au milieu de leur lune de miel, après avoir bu pour se donner le courage de s'attaquer à une Mara déjà toute repliée sur elle-même, pitoyable, effrayée, déconcertée, il exhiba un paquet de cartes postales obscènes achetées à Paris et les disposa tout autour du grand lit pour les reproduire en action, l'une après l'autre, sur elle, Mara crut comprendre que l'amour chez l'homme est une chose affreuse, l'anéantissement de la beauté et de la tendresse.

« C'est tout ? » demandai-je.

100

J'ignore sur quelles horreurs j'avais compté pour m'exciter. J'étais déçue et je m'endormis. Peut-être Mara, qui préférait être aveugle puisqu'elle m'aimait, se dit-elle que j'avais voulu alléger son sentiment d'horreur, que c'était par amour et par tendresse que j'avais dit : « C'est tout ? » Car Mara m'aimait, je crois. Ce que Karl avait méprisé, elle cherchait à me le donner. Mais, hélas ! moi aussi, j'appartenais à cette redoutable confrérie qui remplit le monde, j'étais de ceux chez qui le cœur et l'esprit, dissociés, font rage l'un contre l'autre, couvrant l'amour de bave, le mêlant inextricablement de honte.

Cette semaine-là fut pleine d'éclats de rire, d'un bonheur presque fiévreux. Nous allâmes voir un vieux film de Chaplin, *Les lumières de la ville* ; nous nous promenâmes dans le parc, et les petits canards avec leurs petits yeux en boutons de bottine nous donnaient le fou rire. Je parlai de Rhoda avec désinvolture et discourus savamment sur les occasions qu'offrent les pensionnats de filles. Nous convînmes que chaque être humain est à la fois mâle et femelle et que quiconque niait chez soi l'existence de ces deux tendances mentait. Je m'analysai :

« Je pense que je me sentais malheureuse et très seule — j'étais de trop, j'avais une belle-mère méchante et tout le bataclan. Puis la ségrégation pendant les années les plus vulnérables... à la merci des adultes qui reportent leurs propres frustrations sexuelles sur nous, les jeunes.

Cela rendait un son intelligent, détaché, scientifique. Une sérénité nouvelle naissait de parler de ces choses objectivement. Cette optique scientifique faisait l'effet d'un bain de formol ; elle rendait mon passé aussi inoffensif que les spécimens zoologiques d'un muséum.

Mara me parla de sa famille. Elle avait perdu son père de bonne heure. Toute la fortune était allée à sa mère, de vingt ans plus jeune que son mari. « Elle avait à peine dix-huit ans quand je suis née, ça explique pourquoi elle n'a jamais été très maternelle. » Mara avait été élevée principalement dans des pensionnats chic du Continent ; elle avait passé ses vacances dans de grandes maisons luxueuses, au milieu de joyeuses réceptions et de toutes sortes de gens riches et oisifs. « Ma mère est très gaie et très belle. Elle s'est remariée, naturellement, deux ou trois fois, mais il semble que ses maris n'ont rien changé pour elle, elle reste gaie et jolie et elle s'amuse. Elle est toujours entourée d'un tas d'hommes. Karl était un de ses chevaliers servants. Je ne la connais pas bien, en fait ; elle m'est étrangère. Elle s'est toujours montrée très généreuse. Des tas de jouets, des robes ravissantes, mais elle, je ne la voyais pas souvent. Je crois que c'est pour ça que j'ai épousé Karl à dix-neuf ans. J'avais envie d'aimer, d'être aimée. Karl est riche, mais moi, je n'ai rien, pas un sou à mon nom. De toute façon, j'ai écrit à ma mère (elle est en Amérique en ce moment ; son dernier mari est américain), je lui ai dit que je voulais quitter Karl et qu'il me fallait un peu de l'argent de mon père. Elle est ma mère après tout. Elle doit m'aider. »

Et puis elle me dit :

« Je vais quitter Karl et je ne retournerai plus jamais avec lui. »

Et puisque Karl n'était pas là, je ne répondis rien. J'espérais qu'il n'y aurait pas de scènes.

Mais les choses ne se passèrent pas ainsi. Un après-midi, Mara reçut une lettre d'un quelconque avoué de Zurich. L'essentiel en était que la mère de Mara était trop occupée pour écrire elle-même, mais qu'elle était bouleversée d'apprendre que Mara voulait quitter Karl ; elle le lui déconseillait formellement. Elle estimait que donner de l'argent à Mara pour l'aider était injustifiable en l'occurrence. Le tout, bien qu'exprimé dans le jargon particulier des hommes de loi, était parfaitement clair.

Mara, assise sur le lit, me regardait lire la lettre qu'elle m'avait passée.

« Enfin, Red, dit-elle, ça n'a pas vraiment d'importance. Je vais quitter Karl, de toute façon. »

Qu'aurais-je pu dire ? C'était compliqué. J'aimais Mara. Bien sûr. J'étais certaine de l'aimer. Mais je ne sus que dire. Bien sûr que je désirais la voir quitter Karl ; c'était horrible, lorsqu'elle retournait vivre avec lui, mais si elle le quittait et puisqu'elle n'avait pas d'argent, qui paierait ses notes ? Nous partagions tout, moitié-moitié, Mara et moi, sauf quand Mara faisait des extravagances, quand elle achetait des provisions, les apportait chez nous et oubliait de les marquer sur notre livre de comptes. Je notais nos dépenses parce que avec Mara il aurait été impossible de savoir où nous en étions. Nous faisions tant de choses ensemble, et tout cela m'aurait tellement manqué. Mais d'autre part, si Mara n'obtenait aucun argent de sa mère et quittait l'appartement de Karl, ce serait un peu embarrassant pour l'argent. On ne pouvait quand même pas s'attendre à ce que ce soit moi qui paie tout. Ainsi je ne savais trop que décider. Je dis :

« Fais ce qui te semble le mieux.

— Oh ! Red, ma chérie, fit-elle en se mettant debout d'un bond pour me serrer dans ses bras. Je savais que c'était ce que tu dirais. Tu es merveilleuse, vraiment.

— Pas du tout.

— Si, merveilleuse.

— Ecoute, ne fais rien d'inconsidéré, dis-je. Réfléchis bien, je n'aimerais pas que tu aies de regrets ensuite. Je ne voudrais pas avoir l'impression que je t'ai poussée à faire quoi que ce soit. »

Elle me regarda, les yeux tout plissés de bonheur.

Quelques jours passèrent et rien ne se produisit. Mara continuait à se rendre à l'appartement chaque jour (Karl était en voyage) ; elle s'était arrangée avec le type de l'entrée pour qu'il lui téléphone au cas où Karl reviendrait à l'improviste. Nous n'avions pas le téléphone chez nous, mais les locataires d'en dessous en avaient un. C'étaient des personnes obligeantes qui nous laissaient l'utiliser parfois ; en échange, nous leur passions des restes pour leur chat. Si jamais Karl débarquait subitement au beau milieu de la journée, le type pouvait nous téléphoner soit à Horsham, soit chez nous. Si Karl arrivait le soir, le portier devait aussi nous avertir ; sauf après minuit, et en ce cas, il fallait qu'il dise à Karl que Mara passait la nuit chez une amie, puis qu'il téléphone à sept heures et demie le lendemain matin (les locataires d'en dessous se levaient à sept heures) pour prévenir Mara.

« Mais ça n'a plus beaucoup d'importance, maintenant, n'est-ce pas ? dit Mara. Enfin, que Karl soit furieux ou non.

— Ça n'a pas d'importance ? Comment cela ?

— Enfin, je vais lui dire que je ne veux pas continuer à vivre avec lui, dit Mara. Je suis bien décidée, Red. Je ne retournerai pas auprès de lui.

— Non, bien sûr. Mais à ta place je ne ferais rien d'inconsidéré. Je veux dire, qu'il ne faut pas armer l'ennemi, ma chérie. Mieux vaut s'en tirer sans histoires. »

Elle se mettait à rire chaque fois que je disais cela. Je voyais qu'elle rassemblait tout son courage pour une explication ; mais en même temps je savais qu'elle n'avait pas l'esprit pratique et qu'elle risquait de se mettre dans son tort, et alors tout deviendrait très compliqué. Naturellement, cela n'avait pas d'importance qu'elle vive avec moi pendant quelque temps sans débourser un sou, mais cela ne pourrait durer toujours, je ne jurais de rien pour l'avenir si elle ne parvenait pas à un arrangement convenable. Je déteste l'insécurité et l'incurie, je veux dire que j'ai besoin de voir venir les choses, et Mara ne semblait jamais rien prévoir, elle.

Puis tante Muriel m'écrivit que ma grand-tante, là-haut, dans le Nord, était morte. « Tu sais qu'elle était devenue un peu bizarre avec l'âge, ces dernières années, écrivait tante Muriel qu'on avait appelée au chevet de la mourante. La plupart des pièces de la maison étaient fermées à clef. Elles étaient pleines de malles et de valises, toutes fermées, elles aussi. Il m'a fallu les ouvrir en présence du notaire. Elles étaient remplies de vieux vêtements, de vieux journaux, de bouts de ficelle, de boîtes de conserves — des boîtes et des boîtes qu'elle gardait là, dont certaines depuis plus de vingt ans. Ta pauvre tante a toujours été trop prévoyante. »

Elle avait laissé trente mille livres à partager également entre tante Muriel et moi.

« Une véritable aubaine pour toi, ma chère Bettina et puisque tu es sur le point d'atteindre tes vingt et un ans, tu n'auras aucune difficulté à entrer en possession de ton argent. Je suis certaine que maître Thurston — c'était le notaire de tante Muriel — ne sera que trop heureux de te conseiller pour le placer en toute sécurité et avantageusement. Il désire également te parler du legs de ton pauvre père. »

Il me fallait donc me rendre au bureau de Thurston, dans Wigmore Street, pour y signer quelques papiers et écouter la lecture du testament. Je devais avoir vingt et un ans deux mois plus tard ; alors j'entrerais en possession de toute ma fortune : celle de mon père et ma part de l'argent de ma grand-tante.

Mara me crut chagrinée par la mort de ma grand-tante, car je versai soudain quelques larmes. J'étais touchée, mais de très loin. En fait, ce n'était pas vraiment moi qui lisais cette lettre et qui pleurais un peu, c'était quelqu'un d'autre que je regardais faire. J'expliquai à Mara que je venais d'hériter d'un peu d'argent.

« Oh ! Red, alors te voilà riche ! fit Mara.

— Non, bien sûr, lui dis-je. La pauvre vieille n'a pas laissé grand-chose et, une fois payés les droits de succession, je doute qu'il reste un sou. »

J'allai voir maître Thurston à son bureau, le lendemain après-midi et, naturellement, tante Muriel s'y trouvait déjà, en tailleur de tweed brun, avec un grand sac et un chapeau garni d'une petite plume.

« Eh bien, ma chérie, me dit tante Muriel, quand je l'eus embrassée. Tu as bonne mine. Tu te plais dans ton nouveau logement ?

— Il est au poil », dis-je.

Tante Muriel tiqua, puis sourit. Je l'interrogeai sur la ferme, les poulets, les réfugiés. Parler de la ferme suffisait à son bonheur. Les réfugiés étaient partis, mais la cuisinière avait eu son bébé et elle était toujours là.

« Que Dieu me bénisse, fit tante Muriel, on dirait même que le père va l'épouser, maintenant. Je voudrais bien qu'elle reste encore quelque temps, pourtant. »

Je vis que tante Muriel n'était pas ravie à l'idée que la cuisinière allait la quitter après être passée dans les rangs des honnêtes femmes.

Quand maître Thurston eut procédé à la lecture du testament et nous eut fait signer les papiers et tout, tante Muriel dit d'un ton jovial :

« Ma foi, il est plus tôt que je ne le pensais. Que dirais-tu d'aller prendre une tasse de thé chez toi ? J'aimerais voir où tu loges. »

Ainsi je dus l'emmener dans notre chambre et espérer que tout irait pour le mieux.

« Comme c'est confortable ! s'exclama tante Muriel, en examinant les lieux. Tu dis que tu loges avec...

— Mara Daniels, dis-je.

— Ah ! fit tante Muriel, cette jeune personne qui est venue te voir à Salisbury à Noël ?

— Oui.

— Elle est veuve ? demanda tante Muriel.

— Non. Je veux dire que je ne le sais pas très bien. Nous ne nous posons guère de questions, vous savez, tante Muriel. Elle partage un logement avec moi, mais, naturellement, je ne sais pas grand-chose d'elle. Je veux dire qu'on doit savoir se montrer discrète... »

Je pataugeais un peu, mais tante Muriel ne parut pas le remarquer.

« Ma foi, je suis sûre que c'est une excellente ligne de conduite, dit-elle. C'est plutôt désastreux quand les gens s'intéressent trop les uns aux autres, ne trouves-tu pas, chérie ? Cette chère Eunice, par exemple, une si charmante jeune fille, mais elle fait toujours tellement de sentiment. Figure-toi qu'elle essaie de convertir la Polonaise, maintenant.

— Je croyais toutes les Polonaises catholiques.

— Pas celle-ci, ou du moins elle prétend ne pas l'être. La chère Eunice essaie d'obtenir de cet homme qu'il l'épouse. Moi, je trouve que les gens ne devraient pas se mêler des affaires des autres, fit tante Muriel en soupirant. Je veux dire qu'elle risque d'être plus malheureuse une fois mariée, tu ne crois pas ? Le bébé est un amour, si sage. Il faut que tu viennes pour Noël. Et peut-être pourrais-tu bavarder un peu avec Eunice et voir si tu ne peux rien pour elle. Elle prend tout tellement à cœur, la pauvre. »

Tante Muriel continuait à bavarder. Au bout d'un moment, elle se leva tout de même et j'allai la mettre dans un taxi.

J'étais contente de l'absence de Mara pendant la visite de tante Muriel. Je rangeai le service à thé et, lorsque Mara rentra, je lui racontai l'entrevue avec le notaire et la visite de tante Muriel du ton dont on parle d'une affreuse corvée.

Puis Karl rentra de voyage. Et il vint à notre appartement.

Comment était-il au courant ? D'abord je crus qu'il avait fait surveiller Mara. Il eût été bien facile de la suivre. Mais la vérité était plus simple.

Il devait être près de neuf heures, par un tiède

crépuscule de juillet. Je venais de regarder la pendule sur la cheminée, une pendule assez jolie, que Mara avait apportée de chez elle. Je comparais toujours l'heure qu'elle marquait avec celle de ma montre pour voir si elle marchait bien.

On sonna à la porte, et Mara s'en fut ouvrir. Je me demandai qui ce pouvait bien être et, tout d'abord (j'ignore pourquoi au juste), je pensai que ce devait être Andy. Sur le seuil se détachait la silhouette d'un homme en pardessus, avec une écharpe et pas de chapeau. Mais Mara dit : « Karl... » et Karl entra, il n'avait pas ses lunettes.

Quel changement ! Karl sans lunettes avait des yeux furtifs, vulnérables, pas du tout ceux d'un homme arrogant, mais plutôt d'un individu qu'on a rudoyé ; des yeux somnolents comme ceux d'un chat drogué... Il entra, ne chercha pas à regarder autour de lui, parce qu'il n'y voyait rien, c'était évident.

« Karl, dit Mara d'une voix qui tremblait un peu. Comment... comment as-tu pu venir ici ?

— En taxi. »

Il fourra une main dans sa poche, en sortit la monture de ses lunettes : un des verres était fendu et il en manquait un morceau.

« Juste au moment où je descendais du taxi elles sont tombées. J'ai mis le pied dessus. »

Il parlait d'un ton excédé.

« Les gens d'en bas m'ont conduit ici. »

Il y eut un grand silence, et je dis :

« Ne voulez-vous pas vous asseoir ?

— Merci, dit-il. Il faut que... Mara qu'est-ce que ça signifie ? »

Soudain, il se tourna vers elle avec l'assurance tendue des demi-aveugles.

« On m'a dit que tu habitais ici maintenant. Ta mère m'a écrit que tu voulais me quitter. Qu'est-ce que c'est que toutes ces sornettes ?

— C'est la vérité, dit Mara. Je... Cela ne me plaît pas d'être mariée avec toi, c'est tout.

— Cela ne te plaît pas d'être mariée, c'est tout.

T'intéresserais-tu à quelqu'un d'autre, si je puis savoir ? »

Au ton de sa voix, je sentis qu'il n'en croyait absolument rien. Il me jeta même un rapide coup d'œil, comme pour dire : « N'est-ce pas une bonne plaisanterie ? »

« Je désire te quitter, dit Mara. Je voudrais divorcer pour recouvrer ma liberté. »

Karl se tourna vers moi en riant.

« Je suis désolé de vous imposer cette scène conjugale, miss, miss... »

Il avait oublié mon nom. Puis, brusquement, il se fâcha, se mit à crier, faisant mine d'empoigner Mara.

« Mara, tu ne peux faire une chose pareille. Tu es folle, folle. Tu es une enfant. Je ne te laisserai pas me faire ça à moi, tu entends ? Tu as perdu la tête. »

Je me mis debout, mais Mara se méprit.

« Bettina, fit-elle, non, je t'en prie. »

Bien entendu, je n'avais pas eu l'intention d'intervenir. Mais simplement de dire : « Voulez-vous m'excuser ? » puis de sortir. Je ferais une petite promenade pendant qu'ils s'expliqueraient. Cela ne servait à rien, que je reste plantée là.

« Veux-tu nous laisser, Bettina ? » dit Mara.

Et je dis :

« D'accord. Je vais jusqu'au coin de la rue. J'ai un coup de fil à donner. »

Je descendis et m'engageai dans la rue. Je donnai mon coup de téléphone, bien que ma main tremblât beaucoup en mettant le jeton en place. Je fis le numéro de Nancy et demandai si Andy était là. Mais il était sorti.

Je marchai en rond pendant près d'une demi-heure et puis, tout à coup, je fus prise de panique. A supposer que ce type emmène Mara de force, je ne la reverrais plus jamais... A supposer que... Mais soudain je ne voyais plus en Karl qu'un faible et j'avais même pitié de lui. Je retournai sur mes pas et m'arrêtai devant notre porte, mais tout était tranquille. J'ouvris pour m'apercevoir qu'il faisait noir à l'inté-

rieur ; et, durant quelques instants terribles, je crus
Mara partie. Mais non, elle était simplement étendue
sur le lit, à plat ventre.

« Eh bien, dis-je, Karl a filé ?

— Oui, dit Mara. J'ai promis d'aller le rejoindre
demain dans l'appartement pour discuter.

— Est-ce que... ? commençai-je.

— Non, dit Mara. Ça ne lui a jamais traversé
l'esprit. Un autre homme, oui, mais pas toi. Je
pense que ça l'a rassuré de voir qu'il n'y avait que
toi. »

Ainsi tout allait bien.

« Nous serons obligées de faire un peu attention.
Karl pourrait se fâcher pour de bon, tu sais, ce
serait plutôt désagréable.

— Il faudra bien qu'il se résigne, dit Mara. Je ne
serai plus jamais sa femme. »

Sur quoi, nous nous mîmes au lit, mais je fus
longue à m'endormir. J'étais un peu rassurée, cependant, en même temps, un feu couvait en moi, un
foyer de ressentiment. « Rien que toi », avait dit
Mara. Karl ne m'avait même pas considérée comme
une personne. Soudain, je les haïssais tous deux,
Karl et Mara, la paire.

Puis vinrent des jours où Mara ne rentrait chez
nous que tard le soir. Apparemment, elle passait la
journée à discuter avec Karl, et, cette fois, je ne me
sentais pas trop désemparée. Nos vacances d'été
venaient de commencer ; maintenant que la guerre
était finie, chacun voulait s'en aller quelque part et
faisait des projets. Mara ne me répétait pas ce que
lui disait Karl, ni ce qu'elle lui répondait. Mais,
quand venait le samedi et que je faisais les comptes
de la semaine, il n'y avait pas d'argent à attendre de
Mara.

« Je ne pourrais rien accepter de Karl. Pas en ce
moment.

— Bon, dis-je. Ça va. Je comprends. »

Une autre semaine passa et Karl repartit. Mara
ne me dit pas grand-chose de ses discussions avec

lui, mais à mesure que passaient les jours, elle m'avait paru de plus en plus sûre d'elle.

« Il m'a promis de me laisser un mois ou deux pour réfléchir. Il se tracassait à l'idée qu'il y avait peut-être un autre homme, et je lui ai dit qu'il n'y en avait pas, que c'était seulement à cause de moi, que je voulais vivre seule. Il m'a interrogée sur toi, mais j'ai fait mine de rien.

— Il ne trouve rien à redire à ma personne ? fis-je.

— Il semble avoir admis que tu es une amie chez laquelle j'habite provisoirement. J'ai donné notre adresse à ma mère. C'est comme cela qu'il a su où j'étais. Elle a écrit à Karl. Je crois, dit-elle avec une moue, que Karl et ma mère s'entendent mieux entre eux que je ne me suis jamais entendue, moi, avec l'un ou avec l'autre.

— Il n'y a donc rien à attendre de ce côté-là », dis-je, songeant à l'avenir.

Karl avait tenté de donner cinquante livres à Mara avant de partir, insistant pour qu'elle les prenne, mais elle s'y était refusée, en sorte que c'était moi qui payais tout dorénavant. Et puis Mara décida que nous partirions en vacances. Je veux qu'il soit bien clair que ce n'est pas moi qui ai voulu aller au pays de Galles. C'est Mara. Elle choisit elle-même l'endroit, la maison, les gens. Quand j'y songe après coup, cela paraît une bien grande coïncidence que nous ayons débarqué là-bas, mais c'est ainsi.

Vacances paisibles dans une belle vallée galloise. Excellente nourriture, confort moderne, accès facile par train, voilà ce qu'indiquait la petite annonce du *Times* et Mara dit :

« Si nous y allions ? »

Je protestai, mais elle renchérit :

« Oh ! Red, dis oui, pour une fois. Et l'année prochaine, ajouta-t-elle, quand la vie sera redevenue normale, nous ferons le tour du monde.

— Merci, dis-je, je tiens d'abord à trouver une situation. »

Mara envoya un télégramme à l'endroit indiqué, au

pays de Galles, et reçut en retour une lettre signée Adelaïde Fox, promettant une cuisine familiale, des légumes frais, et du beurre et des œufs « de la ferme », et nous donnant l'itinéraire à suivre. Nous câblâmes l'heure d'arrivée de notre train, en demandant qu'un taxi vienne nous chercher à la gare. Nous prîmes le train à Paddington, arrivâmes à Carmarthen vers trois heures de l'après-midi, changeâmes pour Llanfolen. Llanfolen se montra être une gare minuscule, dont tout l'espace libre était occupé par une énorme Austin délabrée, d'où sortaient des brins de paille ; un individu moustachu et coiffé d'une casquette à visière la flanquait et regardait notre train avec une attention anxieuse.

« Vous êtes les invitées payantes de Talybeck Manor, je suppose ? » nous demanda-t-il.

Je fis un signe d'assentiment.

Mara me jeta un regard rayonnant, comme pour dire : « C'est passionnant ! » Elle examina l'Austin avec ravissement.

« Dix-huit shillings, dit l'homme. Faut une bonne heure pour aller jusqu'à Talybeck, de l'autre côté de la colline. Dix-huit shillings, que vous me devez pour la course. »

Il ne bougea pas tant que je n'eus pas produit les dix-huit shillings.

Nous franchîmes la colline et plongeâmes dans une vallée, qui n'était autre que la vallée de Talybeck, par une route serpentant en longs méandres paresseux, bordés de bois d'un côté et avec au loin des ondulations aux plis profonds, adoucies par la lumière du soir qui virait au bleu. C'était un charmant paysage, sans la moindre saillie de rocher, nu, retiré, comme se refusant à tout contact. Je ne suis pas de celles qui se lancent dans le Grand Inconnu et aiment à vivre à la dure, loin des commodités de l'existence, repas à heures fixes, autobus et téléphone. Tandis que nous dévalions la route en lacet, sans rencontrer d'autre taxi que le nôtre, ni de voitures, je commençai à m'inquiéter de la distance. J'aurais préféré un lieu plus accessible, des maisons plus nombreuses, des gens sur les routes. Mais Mara semblait heureuse et je me rendis compte soudain qu'elle avait dû en voir de dures, ces derniers jours avec Karl ; elle avait beaucoup maigri. Mais elle était pleine de courage et d'assurance. Elle semblait avoir cessé tout à fait de détester Karl. Elle parlait de lui tranquillement, comme si le problème eût été réglé déjà. Mais c'était qu'elle se sentait déjà libre. Le mariage est entouré d'un rempart d'hypocrisie si prodigieux qu'il retient ensemble les conjoints mieux que pourrait le faire l'amour, mais la tension est là, perpétuelle.

Ainsi, je ressentis un grand élan d'amour pour Mara et, en même temps, j'étais triste pour nous deux. Voilà que nous étions transportées vers un lieu inconnu dans un taxi délabré — il y avait là quelque chose de symbolique, cela ressemblait un peu à l'avenir, si incertain, qui nous attendait, et j'eus envie d'entourer Mara de mes bras et de dire : « Ma bien-aimée, montre-moi que nous nous aimons, apprends-moi à ne m'inquiéter de rien, apprends-moi à être comme toi, sûre de moi et sereine et pas trop prosaïque. » Mais je ne le fis pas et mon humeur changea ; je m'aperçus que j'avais faim.

Plus mon malaise augmentait, plus les ombres des bois devenaient bleuâtres et profondes, et plus Mara semblait heureuse ; et ce bonheur sans rime ni raison finit par me porter sur les nerfs.

Le chauffeur de taxi se redressa et s'attaqua au sujet de Talybeck.

« Pour sûr que vous allez habiter chez ces dames anglaises qui ont loué le Manoir ? dit-il. C'est une grande maison.

— Il y a d'autres invités ?

— Pas que je sache. Je n'ai mené personne d'autre par là. Ces dames, ma foi, elles savent pas grand-chose du pays, non plus. Ces gens de la ville, pour eux, c'est pas bien facile.

— Je suppose que vous parlez des restrictions ?

113

dis-je au chauffeur. Où est-ce qu'on se ravitaille à Talybeck ?

— Les restrictions, on s'en inquiète pas, dit le chauffeur. On peut pas manquer de grand-chose dans la vallée de Talybeck. Le gouvernement ne descend pas souvent par là, alors on n'a pas à s'inquiéter pour le rationnement. Remarquez, ça nous gêne pour le thé ; on peut pas en avoir autant ni d'aussi bonne qualité qu'avant. Mais pour ce qui est de la nourriture, on n'a pas à s'en faire dans la vallée, sauf ces dames de Talybeck Manor.

— Oh ! fis-je, en jetant un coup d'œil vers Mara.

— Faut qu'elles *achètent* leur pain, et tout le reste, dit le chauffeur. En ville, elles vont pour ça.

— Oh ! regarde, s'écria Mara, comme c'est beau ! »
Le soleil avait déversé ses derniers rayons d'or entre deux collines et toute la vallée resplendissait. Quelques instants et ce fut fini.

« As-tu vu comme c'était beau, Red ? »
Je dis :
« Oui, mais on ne vit pas seulement de rayons de soleil. Ce Talybeck Manor ne me paraît pas très engageant.

— Alors nous irons ailleurs, dit Mara d'un ton léger.

— Mais j'aurai déjà payé toute une semaine d'avance. »
Ç'avait été une condition formelle, une semaine entière d'avance.

« Je me demande si on me rendra mon argent.

— Oh ! Red, dit Mara, ne te fais pas de souci pour ce genre de choses. C'est trop beau pour qu'on se tracasse. »
La route plongea brusquement ; nous étions sur le gravier d'une allée d'un jardin à l'abandon, une longue allée ombragée de yeuses, qui menait à un édifice de pierre et de brique, aux persiennes en mal de peinture ; une bande d'enfants vêtus d'invraisemblables loques, pires que les réfugiés de tante Muriel, se vautraient sur le vaste perron menant à la porte

d'entrée ouverte. Ils abandonnèrent les marches pour se rassembler autour du taxi en se poussant et en se bousculant, et bien qu'ils ne fussent que six, on avait l'impression d'une foule. Ils criaient aussi.

« Seigneur, dis-je, est-ce que ces gosses habiteraient ici ?

— Ce sont les enfants de Talybeck Manor, ceux de ces dames de Londres », dit le chauffeur de taxi en descendant de sa machine.

Nous mîmes pied à terre, regardâmes les enfants, qui nous dévisagèrent en retour. Le plus âgé, une fille, ne pouvait guère avoir plus de douze ans, et le plus jeune, qui en paraissait trois, avait les jambes prises dans des attelles de fer.

« Où est vot' m'man ? demanda le chauffeur à l'aînée.

— Donne à téter au bébé », répliqua la gosse de douze ans, et elle se retourna pour brailler : « M'man, m'man ! » et tous les autres entonnèrent à sa suite :

— M'man, m'man !

— J'arrive », dit une voix venant de la maison.

Une petite bonne femme bronzée, aux cheveux noirs, aux yeux bruns, avec des anneaux d'or aux oreilles, la tête enveloppée d'une écharpe et en pantalon de velours rouge fané, se précipita dehors, un bébé dans les bras.

« Oh ! dit-elle, vous êtes les pensionnaires, je suppose. Avez-vous fait bon voyage ?

— Très bon, je vous remercie », dis-je.

La petite bonne femme bronzée parut désarçonnée. Mara se désintéressait de la conversation, elle se contentait de regarder autour d'elle, le visage empreint d'une expression rêveuse. La jeune femme bronzée changea son bébé de côté.

« Je suppose que vous voulez voir votre chambre, elle est sur la façade, aussi vous avez une jolie vue sur la vallée. »

Elle parlait précipitamment, comme si elle avait craint que nous ne repartions sur-le-champ.

« Nous prendrions volontiers un peu de thé, dis-je, si cela ne vous dérange pas. Il est plutôt tard.

— Oh ! certainement, dit la petite femme. Je vais dire à Mrs. Fox de vous en faire tout de suite. C'est elle qui s'occupe de la cuisine, vous savez. »

Elle fit entendre une sorte de rire essoufflé.

« C'est une excellente cuisinière. Et je suppose que vous prendrez quelques sandwiches avec votre thé.

— Oui, dis-je, je crois que nous aimerions des sandwiches. Si du moins vous en avez. »

Elle me jeta un regard effrayé et se mit à trottiner devant nous. Nous la suivîmes au premier étage, par un escalier sombre, puis dans une grande pièce d'aspect plutôt agréable, avec deux lits jumeaux, un beau plafond très haut et un tapis sur le plancher.

C'était exact qu'on avait une vue ravissante, de là-haut ; la vallée s'étendait devant nous et les collines semblaient courir le long de ses flancs comme deux troupes de poulains folâtres. Et naturellement, il fallut que Mara s'exclame aussitôt : « Comme c'est beau ! », ce qui était la dernière remarque à faire, car la jeune femme au teint couleur de noisette dit avec ardeur :

« Oh ! oui, ça vaut le voyage, n'est-ce pas ? »

Je dis, rien que pour la remettre à sa place :

« Pourrions-nous avoir notre thé le plus tôt possible, je vous prie ?

— Oh ! oui, fit-elle, et je vais vous envoyer vos bagages tout de suite.

— Où est la salle de bain ? demandai-je.

— Oh ! la salle de bain ? dit-elle. Oh ! eh bien, nous puisons de l'eau au puits, pour l'instant. Il y a quelque chose de détraqué dans les conduites. Ce n'est que temporaire.

— L'annonce disait : *confort moderne*, fis-je remarquer.

— Oh ! Red », dit Mara.

La petite bonne femme brune me lança encore un de ses regards épouvantés et dit :

« Mrs. Fox a demandé qu'on envoie quelqu'un du

village pour réparer les conduites. Je crois que tout sera en ordre demain. En attendant, voulez-vous que je vous fasse monter un broc d'eau ?

— De l'eau chaude », dis-je.

Elle me jeta encore un coup d'œil terrorisé et sortit précipitamment, le bébé toujours serré contre sa poitrine.

J'étais furieuse.

« Regarde un peu ce que tu as fait, dis-je à Mara. Nous voilà coincées dans ce trou, sans eau, sans confort, un vrai champ de bataille d'enfants, dont l'un a la paralysie infantile, en plus.

— Red, dit Mara, ce que tu as l'air drôle quand tu es de mauvaise humeur !

— Ce n'est pas drôle, répliquai-je. Nous allons être horriblement mal ici, et ce sont les seules vacances que j'ai de toute l'année. Je me demande qui t'a pris de choisir cet endroit. C'est à des kilomètres de tout et, rien que pour y venir, ça coûte les yeux de la tête. »

Puis Mara se rembrunit. J'avais gâché sa joie. Elle s'assit au bord de l'un des lits jumeaux, un peu tassée sur elle-même, comme pour se réconforter.

Je dis :

« J'imagine que nous ferions mieux d'ouvrir nos valises, impossible de nous en aller ailleurs ce soir. »

Je commençai à déballer mes affaires.

On apporta le thé, une pleine théière et une assiette de sandwiches, au pain plutôt mal coupé et rassis, mais il y avait quantité de lait et de sucre. Et, après le thé, je me sentis mieux.

Ensuite, la jeune femme bronzée nous monta deux seaux d'eau tiède, et nous fîmes notre toilette dans la salle de bain équipée d'un prodigieux nombre de tuyaux, qui faisaient saillie sur les murs, et d'une toilette dont la chasse d'eau ne fonctionnait pas. Nous retournâmes nous asseoir dans notre chambre.

« Dieu merci, il y a l'électricité », dis-je, en tournant le commutateur.

Plus tard nous descendîmes dîner à la salle à manger du rez-de-chaussée, une très belle pièce aux murs arrondis et à la table ovale en bois de rose, assez grande pour douze couverts.

La jeune femme brune, qui nous dit s'appeler Lena Bradford, nous servit de la soupe de conserve, du porc salé bouilli avec des choux de Bruxelles et des pommes de terre plutôt germées, puis une sorte de pudding à la semoule.

« Vraiment, dis-je à Mara, c'est exactement ce que nous mangions chez Nancy. Il n'y a pas de poils de chat, mais c'est la seule différence. »

Puis Mrs. Fox fit son apparition, en s'essuyant les mains à son tablier noué à la taille. C'était une femme râblée, d'aspect solide, aux cheveux jaunes, drus et secs ; et elle portait un pantalon. Ses yeux passèrent rapidement de Mara à moi, puis revinrent à Mara, tandis que Lena Bradford tournait autour d'elle avec de petites exclamations et en disant : « J'expliquais justement à Miss Jones que nous allions faire venir un homme du village pour réparer les conduites. » Et : « Dites-moi ce que vous aimeriez manger demain pour le déjeuner, nous avons des œufs en quantité, mais, pour les légumes, c'est un peu difficile... »

Mrs. Fox ne dit rien du tout.

Nous regagnâmes notre chambre pour nous fourrer dans nos lits, et, Seigneur, ce que les draps étaient humides !... Mara semblait exténuée.

« Quel fichu endroit ! lui criai-je. C'est épouvantable ! Pourquoi diable sommes-nous venues ici ? »

J'entendis comme un rire étouffé, puis je m'aperçus que Mara ne riait pas, mais qu'elle pleurait. Et alors je me rendis compte à quel point je m'étais montrée sale bête avec elle, que j'avais tout gâché, quand, pour elle aussi, c'étaient les vacances. Et je m'approchai d'elle pour la consoler, le cœur bourrelé de remords, je cessai de lui dire des choses désagréables et elle ne tarda pas à s'endormir. Et moi, je demeurai étendue, les yeux au plafond, me promettant de ne plus recommencer, de ne plus jamais chercher à la faire pleurer. Pourquoi donc étais-je ainsi avec elle ? Après tout, nous avions décidé de vivre ensemble, de nous aimer. Alors pourquoi en agissais-je ainsi avec elle ? Mais aussi pourquoi pleurait-elle ? Pourquoi ne se rebiffait-elle pas ? Elle en était capable avec les autres. Mais avec moi elle pleurait trop facilement.

Le soleil qui ruisselait par la fenêtre et des hurlements d'enfants nous réveillèrent pour un petit déjeuner de trois œufs au bacon chacune, servi par la silencieuse Mrs. Fox, toujours vêtue du même pantalon et du même chandail. Elle avait une silhouette ramassée, étrangement compacte et dure, à part ses seins qui dessinaient sous le chandail une courbe flasque, allant des clavicules au ventre. Sa chevelure semblait teinte ; de la masse embrouillée qu'elle avait sur la nuque tombaient des cheveux isolés qui s'éparpillaient sur son chandail, me faisant penser aux poils du chat de Nancy.

Lena entra, conduisant deux enfants par la main, et nous dit que les tuyaux étaient presque réparés et que nous pouvions dès maintenant nous servir de la chasse, au lieu de puiser de l'eau dans un seau.

Je n'aime pas revivre en pensée cette matinée désagréable. Mara, contrairement à moi, échappait à l'irritation causée par l'accessoire. Mais c'est qu'elle n'avait jamais vécu à la dure, le manque de confort ne l'effrayait pas parce qu'elle ne l'avait jamais vraiment connu. Elle pouvait planer au-dessus des contingences, ne penser qu'au soleil et à la longue vallée, le reste n'était qu'un amusement pour elle, ce qui aggravait considérablement les choses à mes yeux. « Ecoute, avais-je envie de lui dire, j'ai vécu comme un cochon chez Nancy et ailleurs, non parce que j'y étais forcée, mais parce que ma belle-mère m'a mise en pension de bonne heure et que je ne savais pas profiter des bonnes choses ; et tu penses bien que dépenser de l'argent pour retrouver une sale vie, ça ne peut pas me faire plaisir. Comme Lenora Stanton quand elle voyage en caravane, je ne vois pas l'intérêt qu'il y a à se passer de confort quand on peut s'en offrir. » Mais ça, je ne pouvais pas le dire, parce que j'aurais pu m'offrir un endroit plus agréable que la pension de Nancy et je ne l'avais pas fait. Je ne l'avais pas fait parce que je craignais toujours de trop dépenser, on ne savait jamais... Mais ce séjour à Talybeck me coûtait gros et, comme je n'en avais pas pour mon argent, je me sentais volée. C'était la raison de ma mauvaise humeur, mais je ne pouvais pas le dire à Mara et nous passâmes toute la matinée à faire comme si de rien n'était ; mais nous ne parlions guère. Ces petits détails ne valaient évidemment pas la peine qu'on s'excite dessus, mais, sur le moment, je me sentis meurtrie de la tête aux pieds. Mara était complètement absurde, cet endroit, ruineux ou pas, me déplaisait, les gens aussi, et nous y étions coincées pour quinze jours. On aurait dit que nous étions mariées puisque nous ne pouvions nous détacher l'une de l'autre, nous ne pouvions nous quitter, nous étions mentalement à la traîne l'une de l'autre. Mara était lointaine, s'absorbant parfois en elle-même durant quelques minutes, puis revenant à moi avec effort ; nous échangions un sourire, nous parlions de petits riens. Et nous étions malheureuses, mais nous ne voulions le montrer ni l'une ni l'autre. Et ça n'intéressait pas Mara.

Puis, juste avant le déjeuner, Mara monta dans notre chambre et en ressortit avec des crayons et un carnet de croquis ; elle s'installa sur le perron et entreprit de dessiner les enfants. Elle y mettait une sorte d'ostentation. « Vas-y, continue à bouder, ça m'est égal », semblait-elle me dire. La façon dont elle tenait les épaules, son silence, suggéraient une résignation détachée aux coups ; mais cela m'évinçait aussi, c'était une tranquille bravade ; elle affectait de s'être libérée de moi, pour l'instant, et de s'absorber dans ses croquis. Je connaissais la fermeté dont elle était capable ; ainsi quand elle m'avait pris la main après la chute de la bombe, quand elle m'avait téléphoné à Salisbury, quand elle était venue à Salisbury. Mais, cette fois, elle la dirigeait contre moi, et ça me faisait mal.

Et alors je me repris une fois de plus à l'aimer, à être lentement envahie de tendresse pour ses minces épaules, sa main qui tenait les crayons, son détachement ; et ce sentiment grandit au point d'inclure les enfants. Mais je ne pouvais rien en dire à Mara.

Après déjeuner, nous allâmes au jardin et nous nous engageâmes dans l'allée de gravier. C'était difficile d'y marcher parce que par endroits, sous les arbres, le gravier était couvert de glissantes moisissures vertes. Mais dès que nous eûmes franchi les grilles, ce fut différent, la pleine campagne au grand soleil ; Mara se mit à musarder et j'accordai mon pas au sien. Nous gravîmes une petite colline, laissant derrière nous notre irritation pour passer à une vague insouciance, et je me laissai aller, me détendis (non sans m'enjoindre toutefois de me rappeler le chemin du retour ; on ne pouvait faire confiance à Mara sur ce point et je ne tenais pas à ce que nous nous égarions). Nous marchions et Mara frayait la route, sans en avoir l'air, car elle semblait simplement suivre un sentier connu d'elle, nous montions à travers les sapins, et puis il y eut une autre colline au sommet de laquelle nous nous assîmes parmi de petits rochers qui faisaient saillie, comme des bosses sous la peau, et autour de nous les collines lisses et rondes arquaient le dos. Tout était limpide, à perte de vue, excepté tout à l'horizon où un petit nuage de brume semblable à du buvard était posé à mi-hauteur de ce qui paraissait être des crêtes plus élevées. Je regardai l'heure à mon poignet, et je surpris Mara qui examinait ma montre. Elle l'avait déjà vue bien souvent. Pour sa part, elle ne portait jamais de montre. Elle ne *voulait pas* savoir l'heure ; c'était une phobie chez elle.

Elle dit :

« Tu as une jolie montre, Red. Elle te va bien. » Cela me fit plaisir.

« N'est-ce pas ? dis-je. Tu ne sais pas comment je l'ai eue ?

— Non, dit-elle. Raconte-le-moi. »

Je le lui racontai. Ma montre était un excellent chronomètre. Je l'avais vue pour la première fois dans la vitrine d'un bijoutier au bout de King's Road, une vitrine enclavée entre deux étroites maisons. Un petit horloger juif passait la journée assis derrière le panneau de verre à peine plus large que lui-même. La porte, très étroite, venait immédiatement après la vitrine. La montre avait été laissée en gage par un soldat américain parti se battre. Un jour, regardant la vitrine, je l'y vis exposée. J'entrai, je l'essayai ; elle allait tout juste à mon poignet. Cela me ferait énormément de peine de la perdre parce qu'elle ne me donne pas seulement l'heure, mais encore un certain sentiment : le sentiment d'une continuité entre moi et la personne que j'étais ce jour où je descendais King's Road, et le petit horloger juif derrière son panneau de verre, et le soldat américain laissant la montre en gage, pour un certain temps, croyait-il, mais il se trouva que ce fut pour toujours, l'horloger me dit qu'il avait été tué sur le front.

« Elle marchera pendant des années », m'avait dit l'horloger.

Tic-tac, tic-tac, la montre marchait paisiblement, comptant les minutes et les heures. Une impression de sécurité, voilà ce que j'éprouve quand je regarde le petit cadran rond, placide, massif qui repose sur mon poignet. Elle marche toujours à la perfection. L'horloger qui me l'a vendue est mort, lui aussi. Nous nous étions liés d'amitié et, un jour, comme il me disait qu'il souffrait d'un ulcère, je lui suggérai d'aller à l'hôpital. J'en parlai à Andy, qui réussit à l'y décider. On lui fit avaler du barium, on le radio-graphia. Ce n'était pas un ulcère, mais un cancer. On l'opéra et il mourut.

Et Mara dit : « Comme c'est affreux ! » d'une voix rêveuse, ensommeillée, comme si l'histoire eût été sans intérêt. A bien y réfléchir, peut-être que cet instant fut très important — qui sait ? Chez elle, tout avait une signification autre que je le croyais. Comment savoir ? Peut-être m'a-t-elle jugée alors, jugée et condamnée.

Nous fûmes heureuses cet après-midi-là, nous chauffant étendues au soleil, réconciliées ; et je sentis que j'aimais Mara plus que jamais. Une fois encore, comme il arrive toujours aux moments de grand calme, je fus entraînée dans le passé par une marée de souvenirs. Je me rappelai à nouveau ma mère. Cela me prend par à-coups : dans l'appartement de Mara, la première fois que j'y étais allée, j'avais été saisie d'une vision de douceur et de tendresse que j'ignorais avoir en moi jusque-là ; mais d'autres visions moins agréables, de pénibles images fragmentaires, me revinrent sur cette colline galloise. Des images de l'époque où ma mère avait quitté mon père pour suivre cet homme (je n'ai jamais pu savoir si c'était le type du zoo ou un autre). Elle m'avait emmenée avec elle, et je revis donc la chambre d'hôtel, avec un grand lit à deux places au milieu, un lit si grand que la pièce n'était qu'un étroit couloir en faisant le tour sur trois côtés. Une odeur surie, semblable à celle de l'allée de Talybeck Manor ; la sensation d'humidité grise des draps, les rideaux à la fenêtre, mal tirés, avec entre eux une fente exaspérante, des rideaux d'un tissu rose sale et dont l'un avait un accroc. Je me rappelai ma mère frottant mes chaussures du coin d'un de ces rideaux, par un après-midi, le faisant avec des gestes brusques, sans cesser de remuer la bouche, parlant avec colère à cet homme dont je ne distingue pas le visage, même en souvenir. Cela m'avait déplu de voir le coin de l'accroc plonger vers le sol, et ma mère agrandissait encore la déchirure en essuyant mes souliers. Puis j'étais dans un lit d'enfant à barreaux ; c'était la nuit, je ne dormais pas, je voulais parler du rideau à ma mère, et je me mettais debout dans mon berceau pour le faire ; mais je ne pouvais la voir, rien que le grand lit, les couvertures et une grosse masse arrondie.

Un autre souvenir, une autre époque ; peut-être une autre chambre d'hôtel, ma mère pleurant, assise au bord du lit, et moi, j'étais debout, un objet — une poupée peut-être — à la main ; je regardais ma mère, alors elle soulevait sa jupe et me montrait une grosse meurtrissure bleu-noir sur sa cuisse. Cet homme la lui avait faite. Ou bien était-ce un autre ? Je me rappelai m'être réveillée, là encore, avoir regardé les couvertures, avoir vu dans ce lit de grosses bosses semblables à ces petites collines basses, presque à ras de terre, du pays de Galles. Je ne pus rien distinguer du visage de ma mère ni de ses cheveux.

Et puis, un jour, tante Muriel, en tailleur et chapeau de tweed brun. Il y avait eu des cris et des larmes, et ensuite je me retrouvai dans un train avec tante Muriel. Je n'ai plus revu ma mère, et personne ne m'avait plus reparlé d'elle jusqu'à ce jour où, j'avais dans les dix ans, ma belle-mère m'apprit qu'elle était morte. On m'avait mise en pension et pour les vacances je retournais chez mon père, dans une grande maison obscure, mais il était très occupé. Je ne le voyais guère, on aurait dit qu'il voyageait constamment ; mais je vis assez souvent ma belle-mère ; elle semblait avoir fait soudain son apparition lorsque j'avais à peu près sept ans. Je me rappelle l'avoir entendue dire un jour à quelqu'un : « Bien entendu, la mère de la petite était très vulgaire. » Je me souviens l'avoir vue déchirer devant moi quantité de photographies du gros album qui reposait sur le rayon supérieur d'une armoire, dans la chambre d'amis. Je savais que c'étaient des photos de ma mère. Je fis comme si je n'avais rien remarqué. Puis, tout habillée de noir, je rentrai à la pension, pour revenir à la maison voir mon père, au lit, terriblement malade. On me fit entrer dans sa chambre, mais on ne me permit pas de rester près de lui ; puis, une nuit, on me réveilla pour me dire : « Ton papa veut te voir. »

Il y avait une petite veilleuse sur la table, et le visage de mon père, sur l'oreiller, montrait un creux à chaque tempe et un autre encore sous chaque pommette. Et soudain du sang se mit à lui couler de la bouche, et ma belle-mère sanglotait, et on me ramena dans mon lit où je m'endormis.

Sur la colline galloise tout ceci me revint, mais étrangement sans souffrance, sans cette terrible brûlure intérieure qui me soulevait du désir de frapper quelqu'un. Cela me fit si peu de mal que je pus même en parler un peu à Mara au fur et à mesure que les souvenirs me venaient. Puis Mara me tendit la main, son visage était très beau, et nous regagnâmes la maison. Je me disais : « Maintenant elle sait tout de moi, maintenant, elle saura comment il faut être avec moi. Elle comprendra. Elle comprendra pourquoi je suis telle que je suis. Elle va me prendre en main. »

A Talybeck nous étions à des kilomètres de tout. Le matin et l'après-midi nous nous promenions sur les collines. Nous nous couchions de bonne heure ; j'aérais moi-même les lits. Nous apercevions les enfants, nous les entendions, mais ils ne nous gênaient pas beaucoup. Mara les dessinait et donnait ses croquis à Mrs. Bradford. Certains étaient excellents, à mon avis, et je le lui dis, mais elle protesta. Je m'ennuyais un peu. Il n'y avait pas grand-chose à lire. J'écoutais la radio, le soir. Peut-être que nous étions réellement fatiguées après une dure année de Horsham et de Karl, et que cette vie nous faisait du bien.

Vers la fin de la première semaine, Lena Bradford s'enhardit, nous fit des avances. Elle s'attardait après les repas en cherchant à bavarder. Elle restait de plus en plus longtemps avec nous au moment du café, et comme nous n'avions rien de spécial à faire nous ne pouvions l'envoyer promener. Je ne tenais nullement à la connaître, elle, ses enfants, ni quoi que ce soit la concernant. Je n'avais pas envie de me lier. Pour jouir en sécurité de l'univers que nous nous étions créé, il fallait s'abstenir de manifester la moindre curiosité envers les autres. Les gens sont bigrement indiscrets.

Mais un jour, alors que j'étais allée seule au petit village distant de deux kilomètres et demi, pour y chercher des chaussures que j'avais données à ressemeler, et tandis que Mara faisait des croquis de la petite fille de douze ans, Lena Bradford tenta sa chance avec Mara. Je les retrouvai assises sur les marches du perron, entourées des enfants. Lena parlait, parlait, parlait. C'est ainsi que nous nous trouvâmes mêlées à la vie de Lena Bradford et d'Adélaïde Fox ; pas trop, mais quand même plus, au point de vue sentimental, que nous l'aurions fait si j'avais été là ce matin-là pour entraîner Mara loin de ces femmes. Et une fois de plus, je me demande : « Est-ce que cet incident, par la suite, ne nous a pas influencées ? N'est-ce pas en partie à cause de ces délicieuses et malheureuses vacances que Mara et moi, nous nous sommes comportées comme nous l'avons fait ? » J'ai beau m'interroger, je ne le saurai jamais.

« Pauvre Lena, me dit Mara dans notre chambre avant le déjeuner, elle en a vu de dures avec son mari. C'est un homme épouvantable. Je suis heureuse de n'avoir pas d'enfants. Il ne faisait que la rendre enceinte. Et ça, pour l'asservir, pour la détruire.

— C'est elle qui le dit, répliquai-je.

— Mais c'est vrai, Red, et elle est très jeune. Elle s'est sauvée la dernière fois qu'il a voulu lui faire un enfant. Elle dit que c'est de la jalousie. Il est peintre et elle, elle veut écrire. C'est pour ça qu'il

126

est jaloux, parce qu'elle réussit mieux dans sa partie que lui dans la sienne. Il a trouvé un moyen de l'empêcher de percer, il l'a épousée pour lui faire un tas d'enfants.

— Ça me paraît un peu tiré par les cheveux, répondis-je. Rien n'oblige une femme à avoir des enfants si elle ne veut pas. Peut-être est-ce du masochisme de sa part. »

Mais Lena Bradford avait éveillé la sympathie de Mara.

« Elle est terriblement courageuse, dit-elle.

— Chérie, lui dis-je, est-ce que tu n'en as pas déjà plein les bras avec Karl ?

— Mais c'est différent, dit Mara. Je t'aime et je n'aime pas Karl, alors je l'ai quitté. C'est très net.

— Enfin, j'espère que Karl verra les choses sous ce jour. Ta mère n'est pas d'un grand secours.

— Oh ! Red, dit-elle, rien n'a d'importance tant que je sais ce que je veux. Je ne retournerai pas vivre avec Karl, advienne que pourra. »

Oui, là, au pays de Galles cela semblait évident, simple et facile. Et je me dis : « Bien entendu, même si Karl ne lui donne pas un sou, j'ai bien assez d'argent pour deux ; et l'année prochaine nous travaillerons l'une et l'autre sans doute... » Je cessai de me tracasser.

Le lendemain matin, Lena s'attarda près de nous, à nous faire encore le récit de ses malheurs. Je quittai Mara un instant pour faire le tour du jardin. Les enfants, trop familiers comme leur mère, accoururent avec de petites bêtes et des fleurs dans les mains. Je n'aime guère les enfants en nombre, mais ceux-ci étaient si gentils qu'il eût été difficile de les repousser.

Ce soir-là, Lena et Adie Fox vinrent s'asseoir auprès de nous après le dîner, non sans demander d'abord si cela ne nous dérangeait pas. Il nous fallut dire que non, évidemment. Ce fut une consultation en règle. Lena fit à elle seule tous les frais de la conversation, tandis que Adelaïde Fox, appuyée au dossier de sa chaise, hochait la tête. Nous finîmes par comprendre que Lena se figurait que nous pourrions l'aider en témoignant que sa santé était ruinée ou quelque chose dans ce goût-là. Elle nous prenait pour des étudiantes en médecine. Je suppose que ce genre d'histoires arrive souvent aux médecins, ils sont forcément entraînés dans la vie des autres ; mais ils savent se dégager, eux. Tandis que Mara était toute prête à donner son aide, peut-être en prêtant de l'argent à Lena pour qu'elle puisse consulter un bon médecin, mais je lui dis :

« Pour l'amour du Ciel, ne te mêle pas de cette histoire, toi. Il n'en sortira rien de bon. Cette femme me soutire bien assez d'argent comme ça.

— Oh ! Red, mais nous devons l'aider.

— Pourquoi ? Suis-je le gardien de mon frère ? Je ne peux pas me permettre de me mêler des affaires des autres. Toi et moi, nous avons nos propres problèmes. »

Bon gré mal gré, il fallut nous en mêler. Chaque fois que nous rencontrions Lena Bradford et Adie Fox, elles nous parlaient inévitablement de leur problème, c'est-à-dire du mari de Lena, et qu'il ne subvenait pas aux besoins de sa famille, et qu'elles étaient obligées de rester ici, toutes les deux, à des kilomètres de tout, et que tout était bien compliqué parce qu'il ne donnait pas un sou à sa femme. Ou du moins le disaient-elles.

Elles s'étendaient sans fin sur ce sujet ; Adie analysait aussi le mari de Lena (il s'appelait Henry), se servant du genre de phrases qu'on trouve dans les manuels de psychanalyse à l'usage du profane. A les en croire, il était parfaitement anormal et cela devait venir d'une éducation trop stricte. Lena insinuait toutes sortes de choses, mais, je ne sais pourquoi, cela ne servait qu'à me faire penser à Mara, et à moi-même. Les hommes sont bizarres, pas de doute à ça. Ils ont de drôles d'idées. Même Andy. Seulement, moi, j'y mets bon ordre. Je veux dire que si je le laissais faire, il ne penserait plus qu'à ça, même à la cuisine. Les histoires de Lena me mettaient mal à l'aise et je pense qu'elles déplaisaient aussi à Mara : cela lui rappelait Karl, et cela ramenait aussi le souvenir de ce jour où j'avais obligé Mara à me parler de Karl. A présent j'avais honte de moi, je me trouvais beaucoup plus à blâmer que Karl lui-même, parce que, après tout, tous les hommes sont comme cela.

Lena disait qu'elle mourrait si elle avait un autre enfant, qu'elle était épuisée, que les hommes la rendaient malade, qu'elle ne retournerait plus jamais vivre avec son mari.

Et puis un ou deux jours plus tard, en fin d'après-midi, un type en gabardine, avec une moustache blonde, une énorme tignasse et un tas de valises râpées arriva dans le fameux taxi que nous avions pris. Les enfants l'examinèrent timidement, tandis qu'il bondissait hors du véhicule ; alors il s'attendrit un instant sur eux, disant : « Mes chers, chers enfants ! » puis il en prit un dans ses bras et je suis heureuse de dire que le gosse se mit à hurler, de quoi ameuter toute la maison.

Mara et moi, nous restions là, à observer le type qui jouait les pères et disait aux gosses enracinés sur place : « Où est votre maman, hein ? Allez chercher votre maman », en jetant autour de lui des regards pas très rassurés, mais sans cesser de serrer les gosses contre lui, en les appelant « mes chéris ». Puis il nous aperçut et dit :

« Pourriez-vous me dire où trouver Mrs. Bradford ? Je suis son mari, Henry Bradford.

— Viens, chuchotai-je à Mara, tirons-nous de là. Il va y avoir des pleurs et des lamentations. »

Mais, sans attendre une réponse, Henry entreprit de faire le tour de la maison, lâchant le gosse qui hurlait. Les autres se précipitèrent dans l'entrée, en criant : « M'man, m'man, voilà papa ! »

Nous montâmes dans notre chambre, dont nous verrouillâmes la porte.

« Sapristi, fis-je, je suppose qu'il faudra se passer de dîner ce soir. »

Nous entendîmes des éclats de voix en bas et les sanglots bruyants de Lena Bradford, puis la voix d'Henry.

« J'espère qu'il n'est pas en train de lui flanquer une raclée, fis-je. Je ne tiens pas à être citée comme témoin, mais s'il y a le moindre grabuge, je dirai que je n'ai rien entendu. »

Mara me regarda froidement et dit :

« Pourquoi as-tu si peur de te compromettre, Red ?

— Parce que ces histoires ne me regardent pas, dis-je. C'est bigrement stupide, tout ça, des gens idiots qui font des idioties. Laissons-les s'occuper de leurs affaires et moi, je m'occuperai des miennes. »

Les cris devenaient plus aigus, un bruit de pas précipités se fit entendre dans l'escalier, on tambourina sur notre porte, et Lena s'écria :

« Mara, Mara, je vous en prie, ouvrez, laissez-moi entrer.

— N'ouvre pas, dis-je. Laisse-les mijoter dans leur jus. »

Mais, naturellement, comme une idiote, Mara était déjà à la porte et l'ouvrait. J'avais oublié de mettre la clef dans ma poche, elle était restée sur la serrure.

Lena se précipita comme un bolide dans notre chambre, et derrière elle venait l'homme à la gabardine, qui disait : « Pour l'amour du Ciel, écoute-moi, Lena, ma chérie, je t'en prie. » Puis je vis Lena dans les bras de Mara, sanglotant si fort qu'on ne s'entendait plus. Ce qui m'avait le plus irritée, c'était d'entendre Lena appeler Mara par son prénom et de la voir se précipiter sur elle comme une amie intime.

Tout le monde essayait de parler en même temps ; et, pour finir, je pilotai Lena hors de la pièce et la mis au lit dans sa chambre. Quand je revins dans la nôtre, j'y trouvai ce type, assis sur mon lit, s'entretenant avec Mara.

« C'est cette femme, répétait-il, cette vicieuse, cette

dangereuse Adelaïde Fox. Une diablesse, voilà. C'est elle, Mrs. Daniels, qui a détourné ma femme de moi. J'aime ma femme, je l'aime vraiment, et mes enfants aussi, je les adore. Ils sont magnifiques. C'est une femme formidable et eux, ce sont des enfants merveilleux. Il n'y a rien au monde que je ne ferais pour eux, et nous étions si heureux tous ensemble jusqu'à ce que cette femme vienne détruire mon bonheur. C'est une mauvaise femme, Mrs. Daniels, mauvaise et anormale. Nous avions tant pitié d'elle, Lena et moi. Lena l'a recueillie chez nous et je n'aurais jamais imaginé qu'elle nous ferait ça. Comment aurais-je pu imaginer que ma femme, une femme normale, avec des enfants, un foyer agréable, se laisserait prendre aux mensonges de cette créature ? Mais Lena était comme du mastic entre ses mains. Naturellement, je sais que c'était dur pour Lena d'avoir tant d'enfants, et qu'elle a toujours désiré s'exprimer... Elle écrit vraiment bien, vous savez... Mais je n'ai jamais voulu l'en empêcher, bien sûr que non, c'est un sale mensonge. J'ai fait tout ce que j'ai pu pour l'aider, mais elle a perdu d'elle-même le goût d'écrire. Je lui ai souvent demandé : « Pourquoi n'écris-tu plus ? » Et elle m'a toujours répondu : « Oh ! Henry, je n'ai pas d'inspiration ces « temps-ci. » Puis Mrs. Fox s'est amenée et, au bout d'un certain temps, j'ai compris qu'elle complotait contre moi, parce que Lena a refusé de coucher avec moi. Elle s'est installé un lit de camp. Et un soir où je suis rentré tard, j'ai découvert qu'elle avait transporté son lit dans notre chambre, pour cette femme. Moi, elle m'avait fait un lit au salon, et, toutes les deux, elles occupaient la chambre. Naturellement, nous nous sommes disputés. Et, bien entendu, j'ai perdu mon calme ; mais j'ai toujours aimé ma femme, répéta-t-il comme en incantation, et tout ce que je désire, c'est qu'elle et mes enfants reviennent vivre avec moi. »

Quelle chiffe ! me dis-je. Les hommes sont de vraies chiffes, et tellement égoïstes, en plus, avec leurs idées toutes faites sur ce que pensent les femmes, et leur conviction que leur compagnie suffit à rendre une femme heureuse. Et ce n'est pas tout à fait vrai, ce n'est jamais complètement vrai. Etre mariée, avoir des enfants, tenir une maison, ça ne suffit pas au bonheur des femmes, elles veulent quelque chose d'autre en plus. Mais nous sommes si peu sûres de nous, nous avons toujours tellement dépendu de l'approbation des hommes que nous nous sentons coupables si nous ne sommes pas heureuses quand ils nous disent que nous devrions l'être. Combien d'entre nous cherchent-elles à savoir ce qu'elles sont, réellement, au-dedans d'elles-mêmes ?

Je n'aimais pas Lena, mais je pouvais sympathiser avec elle en entendant cet homme discourir sur son amour pour elle et pour ses enfants, sur le foyer heureux qu'ils avaient eu. Je le voyais d'ici faisant l'amour à sa femme, ruant et haletant éperdument, et elle, n'ayant pas la moindre envie de ça mais fatiguée de dire non, se souciant uniquement de ne pas tomber enceinte, alors que la pauvre chiffe ne pensait même pas à se servir d'une capote pour ne pas la mettre à mal ; et Lena en venant peu à peu à détester qu'il la touche. Moi, c'est ce qui m'arriverait avec Andy, si ce n'était qu'il vienne de moins en moins souvent m'ennuyer maintenant. Mais ce type, Henry, on pouvait être sûr qu'il se figurait que c'était comme le Saint Sacrement, ce qu'il faisait. Et voilà que la pauvre chiffe s'est mise à pleurer, à pleurer pour de bon, et que Mara a pris un air malheureux et essayé de lui dire des choses consolantes.

Henry quitta enfin notre chambre. Mara s'étendit sur le lit, à plat ventre, sans me regarder. Elle avait la migraine, m'expliqua-t-elle, et je dis que ça n'avait rien d'étonnant. Alors elle enfouit son visage dans l'oreiller pour me le cacher, et je me précipitai dehors, à la recherche d'un peu d'eau fraîche où je trempai mon mouchoir pour le lui poser sur le front.

Un peu plus tard, l'aînée des enfants vint nous

dire que le dîner était servi, viande froide avec de la salade, et du fromage pour finir. Personne n'avait pris la peine de faire de la cuisine et le tout se trouvait disposé sur la table. Nous ne vîmes ni Adie ni Lena. La maison était plongée dans le silence, aussi nous montâmes nous coucher, Mara et moi, chacune dans notre lit, loin l'une de l'autre, mais nous parlâmes d'Henry et je démontrai à Mara que c'était une vraie nouille, lui expliquai les sentiments que Lena et lui m'inspiraient. Mais nous ne discutâmes pas d'Adie. J'eus du mal à m'endormir.

Le matin suivant fut un matin de bonne contenance, en quelque sorte, chacun vaquant à ses affaires sans manifester ses sentiments et se montrant terriblement poli. Henry prit son petit déjeuner avec nous, puis se remit à jouer les pères de famille, s'amusant avec ses enfants au jardin, leur essuyant le visage avec son mouchoir, promenant les plus petits sur son dos. Il devait se sentir seul et nous suggéra de l'accompagner en promenade.

Mara dit :

« Non, merci, peut-être une autre fois. »

Alors, bien entendu, il s'installa près d'elle et se remit à parler de ses ennuis. Pour le déjeuner, il prit de nouveau place à notre table, présidant au bout de l'ovale, avec Mara à sa droite et moi à sa gauche, et un énorme bouquet de fleurs et de feuillage devant lui, au milieu de la table. Il l'avait cueilli de bonne heure ce matin, dit-il, et il en parla longuement à Mara. Il se figurait avoir fourni une aide considérable en cueillant ces fleurs tandis que Lena et Adie travaillaient sûrement comme des esclaves dans la cuisine.

Lena, arborant un air de défi, entra avec les assiettes à soupe et Henry se leva d'un bond, comme je suis bien certaine qu'il ne l'avait jamais fait dans son heureux foyer, pour essayer de lui prendre les assiettes, et il dit :

« Je t'en prie, Lena, assieds-toi. »

Et elle :

« Je t'en prie, ne prends pas cette peine. »

Il la suivit hors de la pièce et revint ensuite avec un air de chien battu. Il se tint tranquille et mangea son potage dans un silence total mais quand vinrent les côtelettes de mouton, il fit un effort héroïque et se mit à parler peinture et expositions et d'artistes européens de sa connaissance.

« S'il doit prendre tous ses repas avec nous, dis-je ensuite, à Mara, autant repartir tout de suite. »

Mais il nous restait encore trois jours sur notre deuxième semaine et je ne crois pas qu'on m'aurait rendu mon argent, alors autant tenir encore ces trois jours. Et Mara se mit à rire d'un petit rire amer et dit :

« Mieux vaut assister au spectacle jusqu'au bout. »

Dans l'après-midi, quand nous rentrâmes de promenade pour prendre le thé, nous entendîmes des voix qui discutaient, cette fois dans la cuisine. L'atmosphère était horriblement oppressante. Si seulement nous nous étions tenues à l'écart au début, c'eût été plus facile, nous aurions pu faire semblant de ne rien remarquer. Lena et son mari nous avaient fait participer à leurs malheurs en nous les racontant. Nous attendions tous le dénouement. J'en rendais Mara responsable sans cependant le lui reprocher en face. Soudain, durant notre promenade, elle s'était mise à s'intéresser aux fleurs. A cause de cette conversation avec Henry sur la peinture, sur les fleurs et les arbustes des collines galloises, voilà qu'elle examinait les haies, le bord des chemins, qu'elle s'absorbait dans ce qu'elle voyait. Je m'étais promis de ne plus la blesser, aussi je ne dis rien, même lorsqu'elle cueillit quelques feuilles et quelques petites fleurs et remarqua : « Oui, c'est bien ce qu'il me disait », avec une sorte de satisfaction stupide. A cet instant, je la trouvai trop malléable, trop aisément retournée, il me sembla qu'elle manquait de caractère. Avec terreur je me dis : « Mon Dieu, mais c'est qu'elle est faible, elle est influençable, elle ne sait pas se cuirasser comme moi. » Et, dans un éclair de panique, je pensai qu'il me serait facile de la perdre.

Quelqu'un d'autre me la prendrait. Un homme, par exemple. Il n'y avait qu'à voir cet Henry. La façon dont il s'adressait à elle. Si Lena n'avait pas été dans les parages, je parie qu'il aurait tenté sa chance, tôt ou tard. Mais moi, il ne me regardait jamais.

Le lendemain matin, tout avait changé. Pour commencer, notre petit déjeuner se fit attendre et il nous fut servi par une Adélaïde Fox aux cheveux plus en désordre que jamais, au visage horrible à voir, bouffi, aux lèvres tremblantes. Dehors dans le jardin, Lena et Henry bavardaient, on les apercevait par la fenêtre.

« Ils se sont réconciliés, dis-je à Mara. Tout est fini maintenant pour la pauvre Adie. »

C'était pathétique et pourtant d'un comique gênant, en un sens, de voir Adie aller et venir, sans prononcer une parole, l'air d'une morte ambulante.

Dans l'après-midi, Lena et Henry, enlacés comme des tourtereaux, s'éloignèrent avec leurs enfants, tableau idéal d'une Famille Heureuse, puis ils revinrent avec des masses de feuillage dans les bras, et Henry insista pour en disposer un peu partout.

Après le thé, Henry vint frapper à notre porte, l'air rayonnant et entreprit de remercier Mara pour je ne sais trop quel motif. Puis Lena entra à son tour et nous serra toutes deux dans ses bras. Le soir, juste au moment où nous nous mettions au lit, il y eut encore du remue-ménage, avec Adie faisant irruption dans notre chambre, en robe de chambre de flanelle pourpre, les cheveux tressés en deux petites nattes ridicules, qui se dressaient de chaque côté de sa tête, derrière les oreilles, le visage chiffonné par les larmes ; et, bien entendu, elle alla droit sur Mara et se mit à hurler et à pleurnicher.

« Il l'a reprise, répétait-elle. Il lui a suffi de se montrer pour qu'elle retourne avec lui, et tout ce qu'il va faire c'est lui coller un autre bébé, et ainsi de suite jusqu'à ce qu'elle en meure. Et elle est bien meilleure artiste que lui. Je sais, elle a vraiment du talent, et lui, c'est un type minable. »

La pauvre, elle était affreuse avec ce visage, ces nattes, ces seins qui ballottaient.

« Je m'excuse, fit-elle, je n'avais pas l'intention de vous ennuyer avec mes malheurs, mais vous savez comment c'est... »

Elle nous jeta un misérable regard, genre sourire-à-travers-les-larmes.

« Vous savez, dit-elle, si Lena me quitte, je me tuerai, c'est tout. Je serais incapable de vivre sans elle. »

Naturellement, nous ne la crûmes pas. Nous ne savions trop que lui dire, son chagrin paraissait irréel. J'avais sommeil et ne pouvais retenir mes bâillements ; nous fûmes soulagées toutes deux lorsqu'elle s'en alla. Voilà bien ce qu'il en est des tragédies : la plupart du temps, lorsqu'elles surviennent, on reste indifférent ; elles sont toujours plus réelles au théâtre que dans la vie.

Le lendemain au déjeuner, Adie avait disparu. Elle avait dû partir pendant que nous faisions notre promenade habituelle. Il n'y avait que Lena s'agitant en tous sens, l'air distrait, riant un peu trop, et Henry fumant sa pipe, déjà réinstallé au sein de son Heureuse Famille. Il avait dressé un chevalet dans le jardin, près de l'escalier, et pour lui, la pipe à la bouche, et avec Lena qui faisait la navette pour lui apporter des tasses de café et les enfants à qui on disait de se tenir tranquilles, leur père travaillait, tout était rentré dans l'ordre.

Il nous déclara qu'il voulait peindre la vallée.

« Merveilleuse perspective », dit-il.

Le lendemain nous rentrâmes à Londres.

Ce fut quelques jours plus tard que je trouvai la nouvelle dans le *Times*, à la rubrique des naissances, mariages et décès, que je lisais toujours.

FOX. *Adelaïde Emily Fox, décédée subitement à York, le 29 août 1945, domiciliée précédemment à Fareham, Hampshire, sœur bien-aimée de Charlotte Fox.*

Il y avait un paragraphe, plus loin dans le journal, relatant qu'on l'avait trouvée morte dans sa chambre, pour avoir pris une trop forte dose de somnifère. On avait conclu à une mort accidentelle. Sa sœur affirmait qu'elle n'avait aucun ennui, qu'elle se portait bien, qu'elle était gaie et venait justement d'accepter un poste d'infirmière-gouvernante auprès d'un vieux monsieur. C'était là que l'accident avait eu lieu. Je ne montrai pas le journal à Mara. Je ne lui dis rien. Je ne pense pas qu'elle l'ait jamais su.

En septembre nous regagnâmes Horsham pour l'année finale. Karl n'avait pas donné signe de vie depuis plus de six semaines et Mara n'avait pas reçu d'argent, mais elle ne semblait pas s'en tracasser le moins du monde.

La pauvre Leonora Stanton n'avait pu venir à bout de ses examens, en sorte qu'elle n'était plus avec nous, elle redoublait sa seconde année. Elle s'était mariée et avait mis un bébé au monde six mois après le mariage. Elle amenait son enfant aux cours et, quand venait l'heure de la tétée, elle déployait un écran autour d'elle et disait avec son effroyable enjouement de Sainte Nitouche : « Voyons, voyons, si vous voulez regarder, » mes petites, il n'y a pas de quoi avoir honte. » Elle nourrissait même son bébé durant les colles d'Eggie si par hasard elles coïncidaient avec l'heure de la tétée, et Eggie ne pouvait rien dire puisque Leonora invoquait qu'il s'agissait d'un phénomène biologique et naturel. De toute façon, Eggie semblait soudain beaucoup plus heureuse ; et puis la rumeur se répandit qu'elle allait quitter Horsham pour se marier, ce que nous proclamâmes toutes *Incroyable*. Mais la rumeur persistait.

Je donnai une petite fête pour mon anniversaire, une petite réunion avec Nancy, Andy, qui vinrent tous deux, deux autres filles, Mara. Je demandai à Andy d'amener un autre garçon, et il amena un Egyptien. Andy avait réussi de justesse à ses examens et il était interne à présent. Surtout, on lui avait offert un poste à Singapour s'il décrochait son diplôme de Médecine tropicale d'ici un an, parce que son père l'évêque avait un tas d'amis là-bas pour tirer les ficelles. Les traitements étaient prodigieusement élevés à Singapour, et Andy disait qu'il lui tardait de savoir si c'était vrai tout ce qu'on racontait des femmes d'Extrême-Orient, alors qu'il irait probablement à Singapour. Pour moi, Singapour n'était qu'un endroit de l'équateur, où les Japonais avaient coulé quelques-uns de nos bateaux. Sur le moment, cela m'attrista de penser qu'Andy s'en irait peut-être ; mais ce ne serait pas avant dix-huit mois et, d'ici là, Mara et moi, nous aurions nos diplômes et une situation aussi.

L'Egyptien se mit en colère à cause d'une réflexion de Nancy sur l'issue de la guerre, et il dit que, bien entendu, le prochain siècle verrait la suprématie de l'Asie et de l'Afrique, et il s'excita terriblement sur le colonialisme. Et Andy lui dit : « Bois un verre, mon vieux », ce qui le rendit encore plus furieux en sorte qu'il ne tarda pas à s'en aller.

« J'avais oublié que c'est un musulman. Ils ne boivent pas d'alcool », dit Andy.

Cette petite fête était aussi pour célébrer un anniversaire nous concernant, Mara et moi. L'année précédente nous nous étions rencontrées pour la première fois juste une semaine avant mon anniversaire de naissance que je n'avais pas fêté cette fois. J'avais simplement reçu comme d'habitude une carte de vœux de tante Muriel et un cadeau de Rhoda et aussi un petit souvenir de Nancy. Mais cette année-là, j'avais vingt et un ans, j'allais entrer en possession d'une certaine fortune, héritage de mon père et de ma grand-tante, à peu près vingt mille livres en tout. Naturellement, je me rends compte que ça peut paraître beaucoup, mais on ne sait jamais, et de toute façon je n'avais pas l'intention de les jeter par la fenêtre, simplement je n'avais plus à craindre l'avenir. Même si Mara n'obtenait rien de sa mère, nous pourrions nous débrouiller. Nous serions obligées de faire attention, bien sûr, et plus tôt nous trouverions du travail, mieux cela vaudrait. Mara m'offrit un ravissant coffret italien, peint à la main, et tante Muriel m'envoya quelques perles, un collier qui avait appartenu à sa mère et qu'elle avait fait renfiler à mon intention.

Puis une semaine plus tard tout arriva à la fois, naturellement, comme une grosse vague déferlant sur nous. J'aurais dû prévoir les événements, mais je ne l'avais pas fait, et c'est peut-être parce que tout se produisit si vite que je fus prise de panique et dis et fis des choses qui causèrent notre perte. Pourtant, je persiste à croire que Mara aurait dû faire preuve de plus de jugement, elle aurait dû prendre les choses en main, comme elle l'avait déjà fait auparavant... Après tout, elle me connaissait. Mais elle n'intervint absolument pas, je dus m'en tirer seule.

Un lundi après-midi, en rentrant de Horsham, je trouvai une lettre de tante Muriel. Quand je compris enfin ce que je lisais, je dus m'asseoir. Mara était à la cuisine, mettant de l'eau à bouillir. Lorsqu'elle revint, j'avais toujours la lettre à la main. J'eus peur qu'elle ne s'aperçoive de quelque chose, aussi j'allai au lavabo pour relire ma lettre, puis je la déchirai et je tirai la chasse d'eau.

« Ma chère Bettina, disait la lettre, j'ai été bouleversée hier par la visite d'un certain Mr. Daniels, qui se prétend le mari de ton amie. Il m'a raconté une histoire que je ne peux me résoudre à croire vraie. Inutile de te dire quel choc une visite de ce genre est pour une personne de mon âge, et bien qu'il me soit difficile de voyager par le temps qui court, puisque je n'ai pratiquement aucune aide à la ferme et que ni Rhoda ni toi n'avez pu vous arranger pour venir me donner un coup de main cet été,

ne serait-ce qu'une semaine, je prendrai le train de
Londres mercredi, celui de 12 h 45. Je serais venue
plus tôt, mais j'avais deux réunions de comité hier
et mardi, et il faut que j'aille voir mon notaire.
Je prends cette affaire très à cœur et je dois te
demander de venir me voir à mon hôtel habituel,
le Caduceens, pour en discuter aussitôt que tu seras
libre après tes cours cet après-midi-là.

Ta tante affectionnée

Muriel Jones. »

« Oh ! seigneur ! » m'écrai-je.

J'allai dans notre chambre, je bus une tasse de thé
et essayai de n'avoir l'air de rien. Mara avait mis ses
lunettes (elle était légèrement myope) et s'était plongée dans un livre. Je me rappelle que c'était un
bouquin à couverture bleue. Elle avait l'air par
trop placide et calme, elle ne savait rien, aussi
j'attaquai :

« Eh bien, Mara, dis-je, le bon temps est fini, j'en
ai peur. »

Elle leva les yeux, surprise.

« Qu'y a-t-il, Red ? »

Et je vis une expression alarmée se répandre rapidement sur son visage. Elle avait appris à me craindre.
Pourquoi aurait-elle eu peur de moi ? C'était moi
qui payerais la casse, n'est-ce pas ?

« C'est ton Karl, ma chère. Ton mari. Il est allé
trouver tante Muriel pour lui confier ses malheurs.
Dieu sait ce qu'il lui a raconté, mais la pauvre vieille
débarque après-demain pour faire un brin de causette
avec moi. Seigneur, quel gâchis !

— C'était cette lettre que tu lisais ? dit Mara avec
un grand calme.

— Qu'est-ce que tu te figurais alors ? »

Je n'avais plus la lettre maintenant, je regrettais de
ne pas l'avoir conservée pour la lui montrer. Elle
était si calme, elle n'avait pas de cœur.

« La pauvre vieille est aux cent coups. Elle va probablement me déshériter maintenant. C'est toujours

à moi que ces histoires arrivent, dis-je, amère et désintéressée. Oh! Seigneur! »

Je m'esquivai dans la cuisine, mais je n'avais rien à y faire, aussi je revins me jeter sur mon lit.

Enfin, Mara ne dit pas un seul mot. Elle continua à lire son livre, très calmement. Ensuite nous préparâmes le dîner. Pous nous nous couchâmes, nous disant bonsoir, et il me sembla que Mara s'endormait tout de suite.

Le lendemain nous allâmes à Horsham comme d'habitude. Et nous ne pûmes ni l'une ni l'autre nous décider à parler de tante Muriel ou de Karl. On peut penser que c'est injuste, ou habile ou méchant. On peut penser ce qu'on voudra. On peut me reprocher : « Pourquoi n'avoir rien dit ? » Qu'aurais-je pu dire ? Mara aurait dû parler, elle aurait dû abattre ce mur de silence entre nous. Simplement, elle n'ouvrit pas la bouche. Et maintenant j'ai l'impression... parfois j'ai l'impression que peut-être elle souhaitait une occasion de s'éloigner de moi, que peut-être elle avait cessé de m'aimer avant que je cesse de l'aimer.

Puis je ne peux expliquer ce que je fis ensuite, c'est-à-dire que je téléphonai à Andy pendant la récréation et que je me montrai gentille et empressée au bout du fil, le remerciant encore une fois de son cadeau d'anniversaire (un petit éléphant d'ivoire, affreux, en fait) ; et il me demanda sans ambages de sortir avec lui ce soir-là, puisqu'il se trouvait que le mardi il était libre l'après-midi et toute la nuit jusqu'à six heures du matin. Peut-être ne savais-je pas ce que je faisais, mais c'est moi qui ai pris les devants en tout et, cependant, il sembla que les événements arrivaient tout seuls. Je mis ce soir-là une robe neuve, couleur de bronze, qui m'allait bien (je l'avais achetée avec Mara à notre retour du pays de Galles). Je me brossai soigneusement les dents, parce que, quand je suis surexcitée, j'ai tendance à avoir mauvaise haleine. J'annonçai à Mara qu'Andy m'avait invitée. Je lui dis :

« Cela m'était sorti de l'esprit. Il m'a invitée le jour de mon anniversaire, en fait, et j'ai oublié de te prévenir. »

Alors toutes ces explications parurent superflues parce que Mara se contenta de faire un signe de tête. Elle était en train de lire un livre et je remarquai que c'était le même que la veille ; maintenant je crois, j'ai comme une idée, qu'elle n'en tournait pas les pages, qu'elle le tenait simplement à la main — mais je n'en suis pas sûre. Pas une seule fois à ce moment-là je n'ai regardé son visage, son adorable visage, et maintenant il me manque tant ; elle ne m'a pas laissé une photo, pas une seule.

Peut-être que je souhaitais trouver la chambre vide à mon retour, ce soir-là. Je me le demande encore, mais je ne sais plus. Quand je rentrai, après m'être attardée à me laisser embrasser et peloter par Andy, sur les marches de l'entrée, et que je me glissai dans notre chambre, je pense que j'aurais hurlé de détresse si Mara n'avait pas été là. Mais elle y était, masse immobile et muette dans son lit. Elle se retourna quand j'entrai, comme si elle venait de se réveiller, et elle demanda :

« Tu t'es bien amusée ? »

Et je dis :

« Oui, merci. »

Je lui racontai le film que nous avions vu, et nous bavardâmes un bon moment de choses et d'autres, puis je lui dis bonne nuit.

Tous, nous trichons avec nous-mêmes, jouant la comédie, parce que nous ne pouvons faire face à tout, à tout le contradictoire. Cela me fait rire maintenant quand j'entends Andy discourir pompeusement sur l'inquiétude que lui cause le sort des Africains ou l'asservissement spirituel des Chinois, ou ceci ou cela — parce qu'il s'en moque, en réalité, ce n'est qu'une pose, mais ça lui donne bonne conscience d'afficher des sentiments aussi nobles. Oui, je suis une tricheuse, moi aussi, mais je ne m'y trompe pas, parce que j'ai reconnu l'existence de mon autre moi. Tout en saccageant mon amour pour Mara, je pouvais aussi pleurer sur ce que je détruisais et souhaiter qu'il en aille autrement, me souhaiter différente de ce que j'étais. Mais bien entendu, ce n'était pas possible.

Il n'y a plus grand-chose à raconter, mais il me faut l'écrire.

Je me rendis de bonne heure au Caduceens, le mercredi après-midi. Tante Muriel m'attendait. Nous papotâmes sur la ferme et la cuisinière polonaise (elle n'était pas encore mariée). Tante Muriel portait son plus beau tailleur de tweed, je veux dire celui qu'elle met pour aller à l'église, avec une blouse de soie grise et son collier d'améthystes, et c'était mauvais signe. Cela laissait présager des histoires de notaire et autres querelles de famille. Elle avait porté un costume de tweed quand elle était venue me prendre chez ma mère et aussi cette fois où elle s'était chamaillée avec ma belle-mère. C'était très impressionnant ; si je n'avais rien eu à dire pour me défendre, j'aurais été très effrayée. Il y eut une pause embarrassée tandis que tante Muriel sonnait pour qu'on apporte le thé, bien qu'il ne fût pas encore quatre heures, mais « il faut un temps fou pour obtenir du thé ici, mieux vaut s'y prendre un peu à l'avance », dit-elle. Puis le thé arriva et nous remplîmes avec des questions et des réponses sur mes études les silences entre chaque tintement de porcelaine sur le plateau. Enfin, tante Muriel prit une profonde inspiration et se lança :

« J'imagine que tu as reçu ma lettre, Bettina ? »

Certainement que je l'avais reçue puisque j'étais ici.

« Oui, tante Muriel. »

Tante Muriel se mit à rougir lentement.

« Je n'ai pas besoin de te dire, fit-elle d'une voix étouffée, quel choc j'ai reçu... ce que j'ai ressenti...

Je voudrais bien croire que cet homme est fou, Bettina. »

Elle posa sa tasse. Ses mains tremblaient. Elle était visiblement toute bouleversée.

« Franchement, tante Muriel, ça a été un choc pour moi aussi. Vraiment immérité. »

Elle respirait un peu plus facilement ; j'avais dû trouver le ton juste.

« Je suis soulagée de te l'entendre dire, Bettina. Mais cette situation doit cesser. Il semble que tu as suscité une considérable méprise dans l'esprit d'au moins *une* personne. C'est vraiment très inconsidéré de la part de Mrs. Daniels de quitter son foyer pour faire d'aussi longs séjours chez toi. Cela peut paraître bizarre. Très bizarre. Une femme mariée ne quitte généralement pas son foyer, en particulier lorsqu'elle a une existence confortable, pour se lancer dans des études, surtout de longues études. Et puis, habiter avec toi, partager le logement d'une autre personne quand on a un agréable chez-soi... »

Elle reprit péniblement haleine.

« J'ai dit à cet homme que j'étais convaincue qu'il ne s'agissait que d'une amitié très normale. Je lui ai dit que tu étais très naïve et que tu n'avais probablement jamais songé à ce genre de complications. Mais tu te rends bien compte, n'est-ce pas, Bettina, à quelle situation déplaisante cela a donné naissance ? Ce Mr. Daniels semblait tout prêt à recourir aux extrêmes. C'est un étranger et il m'a paru très monté. Il a même parlé de dédommagement légal, Bettina. Je vais donc te supplier, par égards pour moi, de mettre fin d'urgence à cette amitié.

— Mais, tantine, vu que je suis fiancée à Andy, je ne vois pas comment les gens peuvent se méprendre.

— Ne dis pas « vu que », Bettina, fit vertement tante Muriel. Vraiment, je ne comprends pas comment, vous, les jeunes, vous pouvez trouver que

144

c'est élégant d'employer ce langage. Et qui est Andy, puis-je le savoir ? Je ne crois pas avoir jamais entendu ce nom... »

J'expliquai qu'Andrew Morton était fils d'évêque et médecin et qu'il faisait actuellement son internat ; que je le connaissais depuis des années, mais que j'avais attendu d'avoir vingt et un ans, c'est-à-dire jusqu'à la semaine précédente.

« Bien sûr, nous ne sommes pas encore officiellement fiancés, tante Muriel, parce que je lui ai dit que je voulais d'abord que vous l'inspectiez. Mais il m'a demandée en mariage le jour de mon anniversaire, en fait, et je lui ai dit que si... enfin que si vous l'approuviez, moi, j'étais d'accord. »

Tante Muriel était maintenant si écrasée de soulagement que j'eus peur d'avoir exagéré. Elle devint violette, puis rose, et se laissa lentement glisser au fond de son fauteuil. Puis elle me jeta un long, long regard, et ce regard me transperça. A cet instant, je fus certaine, absolument certaine, que tante Muriel savait tout ; je veux dire tout ce qui concernait Rhoda et Mara. J'eus l'impression qu'elle l'avait en fait toujours su, mais que, comme tant de personnes de son milieu, elle était de première force quand il s'agissait de ne *pas* voir, de ne *pas* entendre, d'ignorer les choses déplaisantes. Et, le temps de cet éclair d'intuition, je me sentis plus proche de tante Muriel que je ne l'avais jamais été, réellement toute proche, réellement de la même chair et du même sang, de la même famille. Et puis je la vis qui en prenait son parti : les choses seraient ainsi, pas autrement ; elle se rangeait à ma façon de voir. Après tout, c'était tante Muriel, pas mon père, qui était venue me chercher chez ma mère ; c'était tante Muriel qui s'était battue pour moi contre ma belle-mère. Elle me connaissait comme sa poche.

Je portais ma meilleure jupe et ma plus jolie blouse, et j'avais mis mes perles aussi, le collier qu'elle m'avait donné.

« Bon, dit tante Muriel, je vais dire à cet homme que c'était ridicule, qu'il se faisait une montagne d'une taupinière. Mais c'est un étranger, ça explique son attitude... ils ne sont pas très *équilibrés*, n'est-ce pas ? Je veux dire qu'il s'est probablement montré brutal avec sa femme et qu'elle ne l'aime pas, et il se trouve que tu as été par hasard entraînée dans cette histoire... Je pense que tu as quand même fait preuve d'étourderie, ma chérie. Après tout, tu es une jeune fille inexpérimentée, et il ne t'est jamais venu à l'esprit que cela pouvait paraître bizarre, tout ça. »

Là, elle acheva de gober le morceau.

« L'idée de cette... hum... amitié ne me plaisait pas beaucoup. Je m'en veux de n'avoir rien dit quand j'ai appris que cette jeune femme et toi vous partagiez la même... hum... un logement. »

Tante Muriel ne put se résoudre à dire « piaule ».

« Voyons, tantine, dis-je, je ne peux pas mettre Mrs. Daniels dehors, n'est-ce pas ? Ce n'est pas de ma faute si elle ne s'entend pas bien avec son mari. »

Tante Muriel fronça le sourcil.

« Tu pourrais dire à Mrs. Daniels que je prends la chose très à cœur, dit-elle d'un ton ferme. Dans l'intervalle, moi, j'écrirai à ce... à Mr. Daniels pour lui dire que j'ai eu un entretien avec toi et que je suis absolument *convaincue* que non seulement ses soupçons sont injustifiés, mais encore que s'il avait la témérité de prendre certaines mesures, il pourrait bien se heurter à des difficultés... Naturellement, ce serait désagréable, très désagréable qu'il dépose une plainte comme il m'en a menacée, mais il n'était sans doute pas très sûr de son fait puisqu'il est d'abord venu me trouver. Il m'a dit qu'il faisait suivre sa femme depuis quelque temps. »

Tante Muriel eut une moue de dégoût.

« D'abord, il a cru qu'il y avait un autre homme, puis il a découvert qu'elle logeait chez toi. Ensuite, il a appris que sa femme était allée te voir à Salisbury au dernier Noël, ensuite... ma foi, ensuite, il a

146

trouvé tout cela très bizarre, surtout quand sa femme lui a dit qu'elle ne retournerait plus jamais vivre avec lui. Puis vous êtes allées au pays de Galles, toutes les deux. Bien entendu, je suis sûre que c'était en toute innocence de votre part, mais tu comprends, n'est-ce pas, ce que certaines personnes pourraient en conclure ? Surtout dans un tribunal. Je... j'ai réellement songé à consulter mon avocat à ce sujet, mais j'ai décidé que je te verrais d'abord... Seulement, tu comprends bien que tout cela doit cesser d'urgence, n'est-ce pas ? Par égards pour moi, Bettina. Il faut que tu expliques la situation à Mrs. Daniels et qu'elle te quitte immédiatement ou que toi, tu t'en ailles. »

Les changements se précipitaient ; on aurait dit qu'un orage assourdissant avait soudain éclaté, noyant le paysage devant moi. Je me sentais vraiment mal en point. « Mara, me disais-je, Mara... » Que faisais-je donc ici ? J'avais envie de crier à tante Muriel : « Que Karl aille au diable, et votre argent aussi, et tout ! J'aime Mara et elle m'aime. »

Je dis :

« Je ne peux quand même pas demander à Mara de partir comme ça, tante Muriel.

— J'ai bien peur que si, fit sèchement tante Muriel. Je suis ta tutrice, Bettina. Tu as pris un très mauvais départ dans la vie, ma chérie, et j'ai toujours tenu à veiller sur toi de mon mieux. Je considère que cette amitié t'est néfaste. Si tu te refuses à certaines mesures, il ne me restera plus qu'à me laver les mains de toute cette affaire, puisque tu es majeure maintenant. Il va sans dire que j'estimerai avoir consacré en pure perte une bonne part de ma vie à une personne qui ne m'est même pas reconnaissante des soins et de l'attention que je me suis efforcée de lui prodiguer, et que je me baserai dès lors sur de nouvelles considérations pour disposer de tout ce que je possède. Je ne dis pas cela pour te faire peur, Bettina, mais simplement parce que c'est la vérité. Je suis une vieille femme, ma chérie, et j'ai dû m'accommoder de situations très pénibles dans le passé. Je ne supporterai pas, à mon âge, d'être entraînée dans un autre scandale. »

Elle parle de ma mère, pensai-je. Le scandale a dû être énorme à l'époque... la fugue de ma mère, ses amants, le divorce de mon père, ma belle-mère... Vulgaire, ma mère, pas assez bien pour mon père, tout le monde ligué contre elle... Tante Muriel n'y avait encore jamais fait allusion. Personne ne me parlait jamais de ma mère, on m'avait toujours caché la vérité. Tante Muriel doit en avoir souffert durant toutes ces années. Les journaux ont dû en parler, étaler cette honte au grand jour.

Je dis :

« Je vais essayer d'arranger ça, tante Muriel, mais ça ne sera pas facile, évidemment, puisque nous faisons nos études ensemble. »

Tante Muriel se leva. Elle m'embrassa sur le front, le regard troublé et débordant de larmes. Je savais qu'elle se rendait compte que je mentais et je suppose qu'elle m'en voulait. Elle tripotait son collier d'améthystes et regardait droit devant elle.

« Bettina, ma chérie, dit-elle, tous, nous sommes forcés de faire... certaines choses. Crois-moi. Je peux t'assurer que... »

Puis elle devint cramoisie et sa bouche se durcit.

« Donne-moi vite de tes nouvelles... ne laisse pas passer une semaine. »

Elle ne lâcherait pas prise. Elle prendrait ses précautions.

Ainsi, je dus rentrer et, cette fois, ce fut horrible, horrible. Dans l'autobus, semblable au grondement d'un ouragan lointain, le « qu'ai-je fait ? » enflait à mes oreilles son vent d'orage. Qu'avais-je fait ? Qu'avais-je fait ? Que pouvait-on faire ? « Mara, Mara, on essaie de nous séparer, toi et moi, on est en train de le faire, Mara. Mara, il fallait que je choisisse. Aide-moi. » Je courais, courais, dans la rue, notre rue, à travers un épais brouillard, seulement il n'y avait pas de brouillard, mais des personnes autour de moi, ombres fugitives qui se retournaient, surprises de me voir courir, sombres dans le noir sombre ; il faisait si sombre, ou du moins il me le sembla sur le moment.

La lumière était allumée, la radio aussi, à plein volume. Mara, Mara, de l'autre côté de la porte simplement... Je tournai la clef, j'allais voir Mara, je dirais : « Je t'aime, Mara, au diable tante Muriel et les journaux et le scandale ! Je t'aime. Aide-moi ! » Je verrais son délicieux visage.

« Andy, qu'est-ce que tu fiches ici ? »

Il était là, cet empoté, étendu sur le lit d'un air conquérant, la radio allumée, exactement comme chez lui.

« Ote tes pieds de mon lit, dis-je. Je ne veux pas avoir de la boue partout. »

Nous venions à peine de donner nos couvre-lit à nettoyer, Mara et moi. Mara, oh ! Mara... une main morte m'étreignit intérieurement, dans une atroce, atroce souffrance.

« Où est Mara ? » demandai-je.

Andy se mit debout, l'air penaud et stupide, et il épousseta de la main le couvre-lit.

« Qui ? demanda-t-il. Oh ! Mara ? Elle sortait justement quand je suis arrivé. Je l'ai rencontrée dans l'escalier. En fait, c'est elle qui m'a ouvert la porte.

— A-t-elle dit où elle allait ?

— Non, pas à moi, fit Andy. M'a dit seulement : « Bettina ne va pas tarder, je vous en prie, entrez « vous asseoir. » Une chic fille. Une vraie petite femme. Jolie ligne, beaux cheveux. Elle a besoin d'un homme, pourtant, ça se voit. Mais moi, je préfère les femmes longues, minces... »

Il s'approcha, les mains en avant ; il aimait pincer et chatouiller, mais maintenant je lui ai fait passer cette habitude.

« Oh ! pour l'amour du Ciel, fis-je.

— Voyons, dit-il, voyons, Red, qu'est-ce que tu dirais de recommencer comme hier soir, hein ? »

Il fit claquer sa langue.

« C'était rudement bon, pas vrai ? »

Oh ! Seigneur, ce qu'il était content de lui ! Parce que pour une fois, j'avais essayé de lui faire croire que je ne pouvais plus résister, qu'il était un type du tonnerre. Moi, j'avais eu envie de vomir.

« Non, merci, dis-je. Et d'ailleurs Mara peut revenir d'un instant à l'autre.

— Non, merci, singea Andy. Bon Dieu, Red, répète-moi ça encore une fois et je ne pourrai plus me retenir. Nous n'avons qu'à fermer la porte à clef. »

Il me fit un clin d'œil.

« Ça ne sera pas long. Après tout, dit-il, tu ferais aussi bien de t'y habituer, tu sais. Je te préviens. »

Il roula des yeux, battit des paupières et me pinça, sûr d'être irrésistible.

« Oh ! pour l'amour du Ciel, dis-je, laisse-moi tranquille. Pas maintenant. »

Ça le rendit furieux, alors il fit le méchant.

« Eh bien, quoi, qu'est-ce qui se passe ? Tu veux me faire marcher ou quoi ? »

Puis il me prit la main, vite, et la plaqua sur son pantalon, pour me montrer, pensant que peut-être ça me déciderait, et il essaya de soulever ma jupe. Et maintenant j'avais peur : si je refusais, il risquait de se dédire ou je ne sais quoi. Après tout, ça n'avait pas été facile, la veille au soir, de lui faire dire : « Je t'épouserais, ma vieille, si je le pouvais. » Et moi de lui répondre : « Oh ! Andy, mais tu le peux ! » et de lui parler ingénument de mes vingt mille livres. Sans les lui flanquer à la tête, bien sûr, mais... je sais ce qu'il en est, je connais Andy. L'évêque n'est pas riche ; Andy n'avait qu'une bourse du clergé et il était toujours à court d'argent. Je savais comment il réagirait. Aussi, je le laissai faire, après avoir fermé la porte à clef, et je pensai : « Seigneur, il faut que je me débarrasse de lui, je ne vais pas supporter ça toute ma vie, nuit après nuit. J'avais si peur que Mara revienne que je ne quittais pas la porte des yeux. Et la radio jouait fort, plus fort, ce qui valait mieux, j'avais moi-même tourné encore le bouton, de façon à pouvoir dire que je n'avais pas entendu frapper. Puis je fus prise de panique à l'idée que je n'entendrais pas frapper Mara... Oh! est-ce qu'il n'aurait jamais fini? Puis je m'aperçus que quelque chose n'allait pas.

« Seigneur, fis-je. Et si je tombe enceinte, dis donc?

— Hein? » dit-il.

Il avait l'air de mourir de sommeil; mais je ne le laissai pas dormir.

« Lève-toi, dis-je, va-t'en. Je ne veux pas que Mara te trouve ici. Et il faut que j'aille me laver, vite. »

J'étais affolée; il s'en alla, Dieu merci, je le mis vite dehors. Puis je courus à la salle de bain et me lavai à fond, me lavai. Ce serait le comble que je tombe enceinte!

Alors je passai la chambre en revue et je me sentis mieux. Mara n'avait rien emporté à part son manteau et son sac; toutes ses affaires étaient là, ses robes, ses livres, tout. J'allai voir la boîte dans laquelle nous mettions l'argent du ménage; tout l'argent y était. Mara ne devait pas avoir un sou sur elle, elle n'avait rien reçu de Karl. Sans doute était-elle allée faire un tour.

Je m'étendis et essayai de dormir. Je m'assoupis un moment, puis je me réveillai, l'oreille tendue. Ensuite, je regardai ma montre, m'habillai et sortis; je me rendis au cinéma dans l'espoir absurde que Mara y serait allée. C'était justement l'heure de la fermeture, mais je ne la vis pas dans la foule qui s'écoulait de la salle. Et, bien sûr, elle n'avait pas d'argent. Je rentrai l'attendre. La nuit s'écoula et Mara ne revint pas.

Cela va mieux maintenant, cela ira probablement mieux encore avec le temps. Je sais que je n'arrête pas de me répéter que ça va mieux. J'essaie de m'en persuader. Il semble que je sois incapable de me retenir de bégayer ces mots toujours les mêmes, ainsi que revient sans cesse me harceler la même souffrance. D'abord ce fut atroce, terrible, comme de repasser par ce réveil où j'avais vu l'énorme masse, la montagne colossale de silence et d'indifférence qui était ma mère au lit avec son amant ; nuit, et le visage de mon père couché dans son lit, un filet de sang s'écoulant de ses lèvres ; le petit juif qui était mort d'un cancer ; tous, ils revenaient tous me harceler, les uns après les autres, sans cesse, et Mara n'était pas là. Je pleurais en l'appelant, oh ! comme je pleurais. Mais son visage... impossible de le revoir même en pensée. Je ne me rappelle absolument plus son visage. Et je n'ai aucune photo d'elle. Pas une. Je pourrais me dire : « Elle avait un petit nez droit, des yeux bruns », mais il n'y a rien là à quoi me raccrocher, c'est inconsistant. Son visage a disparu comme elle a disparu.

Je me rendis à Horsham. Mara n'y vint pas. J'attendis, crus que j'allais la voir d'une minute à l'autre. Je n'avais qu'à fermer les yeux un instant, quand je les rouvrirais, elle serait là, à mes côtés. Mais elle ne vint pas. Le lendemain, il y avait du soleil aux fenêtres, des particules de poussière dansaient dans les rayons, et j'eus envie de crier : Mon Dieu, ses petites boucles d'oreilles en or ! Je courus jusque chez nous et fouillai dans les affaires de Mara, ses robes, son second manteau, ses livres. Je trouvai les boucles d'oreilles et les gardai à la main toute la nuit. Si seulement je ne les lâchais pas, elle viendrait. Elle n'avait même pas emporté son pyjama. Rien. Son odeur, son parfum était là, bien que ces derniers temps elle n'en eût guère usé. Karl ne lui en avait plus rapporté et, bien entendu, elle ne pouvait en acheter. Des jours durant, je vécus la nuit, serrant des objets à elle dans ma main, les rangeant ou les sortant des tiroirs. Les journées, je les passais à Horsham. Le bizarre, c'est que personne

ne vint me questionner au sujet de Mara. Personne
ne m'en parla, pas même Louise. Un soir, environ
trois jours plus tard, on m'appela au téléphone et
je bondis sur l'appareil, pensant que c'était Mara,
mais ce n'était qu'Andy. Je lui dis que j'avais la
grippe.

Au bout d'une semaine à peu près, je n'y tins
plus. Mara. Je lui avais écrit, je laissais mes lettres
dans la chambre, au cas où elle reviendrait, les déchi-
rais au matin. Un soir, alors que j'étais couchée, je
me relevai, enfilai mon pantalon et ma gabardine
(la vieille gabardine que je portais le jour où j'avais
fait la connaissance de Mara) et j'allai Maybury
Street. Je comptais sonner et, Karl ou pas Karl,
emmener Mara. Je dirais : « Viens, Mara, je t'emmène, je t'aime et nous n'avons rien à craindre,
ni l'une ni l'autre puisque nous nous aimons. »
Nous serions ensemble, nous marcherions ensemble,
main dans la main, sous le ciel de Londres qui nous
enserrait, nous enserrait comme une tente glaciale,
mais seule demeure que nous nous connaissions.
Nous serions ensemble.

En chemin, je me dis tout à coup : « Elle est
peut-être morte, peut-être que Karl l'a tuée. » Je ne
pouvais plus me débarrasser de cette idée. Mara
m'aurait téléphoné ou écrit, autrement. Maybury
Street était encore loin, en sorte que je hélai un taxi,
mais quand il s'arrêta à ma hauteur, j'hésitai et le
chauffeur me dit : « Alors quoi, je ne peux pas
attendre toute la journée, ma petite », si bien que je
lançai : « Maybury Street », et montai.

Maybury Street était horriblement calme, vide. Je
demandai au chauffeur de s'arrêter un peu après la
maison. Je revins lentement sur mes pas, levai les
yeux. Les fenêtres de Mara n'étaient pas éclairées.
Je n'osai entrer. Je restai là, à regarder, à espérer,
à souhaiter que Mara vienne à la fenêtre. Sûrement,

sûrement, elle allait m'entendre, m'entendre qui tendais toutes mes forces pour l'atteindre. Elle se réveillerait. Je désirais tant qu'elle se réveille pour me voir. Debout là, je priai : « Mon Dieu, si vous existez, faites que Mara vienne regarder à la fenêtre. Non, même pas, faites simplement que je puisse voir son visage encore une fois, rien qu'une fois. Vous savez, j'ai oublié son visage et c'est le pire de tout, le pire. Pourquoi ne puis-je me rappeler son visage ? Bientôt, il m'échappera tout à fait, comme de l'eau, comme ce sable que la marée emporte sous les pieds. Il ne me restera rien de Mara, rien, rien de mon amour, mon amour... » Et déjà, tandis que je demeurais là, je pouvais le sentir s'éloigner péniblement, découragé comme une vieille femme qui s'en va en boitillant. Peut-être avais-je tant souffert que j'étais épuisée et incapable de plus rien ressentir ce soir-là.

Le lendemain matin, j'allai trouver la secrétaire de Horsham, celle qui tenait le registre des élèves. Je lui dis que Mara avait été souffrante ces derniers jours et qu'elle était partie pour la campagne, et avait-on son adresse là-bas ? Et la secrétaire leva sur moi des yeux surpris et me dit que non, qu'on n'avait pas de nouvelles de Mrs. Daniels, pas d'autre adresse que celle de Maybury Street. Puis elle parut inquiète et me demanda de la tenir au courant de la santé de Mrs. Daniels, de la date de son retour. Je la remerciai. Et à cet instant entra Eggie et elle aussi parut inquiète de ce que Mara eût manqué toute une semaine. Eggie, en tailleur neuf, était très chic. Elle dit :

« Mrs. Daniels est une jeune femme si attachante, n'est-ce pas ? J'espère qu'elle sera bien vite remise. »

Puis elle me regarda et me dit :

« Vous-même, vous n'avez pas bonne mine. »

Il y avait à ce moment-là beaucoup de rhumes et de grippes, en sorte que je dis que je n'allais pas bien.

Et puis, le samedi, je reçus un vrai choc, car,

devant chez moi, là sur le trottoir, j'aperçus Karl.
Il attendait avec l'air... exactement l'air que j'avais
dû avoir devant chez lui, Maybury Street. Il vint
à grands pas vers moi. Je fis semblant de ne pas
l'avoir vu, mais je ne pus l'éviter.

« Miss Jones, dit-il, où est Mara ?

— Je ne sais pas », dis-je.

Je continuai à marcher, mais c'était peine perdue,
Karl m'avait emboîté le pas ; je m'arrêtai donc.
Nous nous fîmes face. Il avait ses lunettes, elles
miroitaient un peu.

« Vous ne le savez pas ? fit-il. Je ne vous crois
pas. Je vous préviens.

— C'est vrai. Vous n'avez qu'à me faire suivre, à
demander à n'importe qui. Ça fait une semaine qu'elle
est partie. Je la croyais avec vous. »

Donc, c'était en vain que j'avais attendu Maybury
Street, Mara n'y était pas. Et Karl devait m'avoir
guettée, à ce moment-là, avoir compris que Mara
n'était plus avec moi. Sinon, il ne m'aurait rien
demandé. Nous pouvions mutuellement nous croire,
à présent.

« Où est-elle ? demanda Karl. Où est-elle alors ?

— Je ne sais pas », dis-je.

Il tourna les talons et me quitta. J'avais envie
de courir après lui, de lui dire : « Ecoutez, ne partez
pas, peut-être qu'en discutant un peu nous pourrions
la trouver, nous pourrions... » Mais c'était trop tard.
Ma personne ne l'intéressait pas le moins du monde.

Ce soir-là, j'écrivis encore une lettre à Mara, lui
reprochant amèrement d'être partie. « Ne vois-tu pas,
ma chérie, que je jouais simplement la comédie. Je
faisais simplement semblant d'être fiancée avec Andy,
et alors, toi, tu aurais pu retourner vivre un peu avec
Karl, mais nous aurions pu continuer à nous voir... »
Puis, quand j'eus écrit ceci, je compris que cela n'aurait pas marché du tout, qu'il n'aurait jamais pu en
être ainsi. De toute façon, Mara avait dit qu'elle ne
retournerait pas vivre avec Karl. Elle n'était pas
rentrée. Alors où était-elle ?

J'ai même relu les avis de décès du *Times*, remontant jusqu'au jour de son départ, pour plus de sûreté. Rien. Une dizaine de jours plus tard, je fis une découverte. Je trouvai les clefs de Mara, celle de l'appartement de Maybury Street et celle de notre chambre. Elles étaient toutes deux dans le petit panier à ouvrage où Mara mettait son fil, ses aiguilles et tout.

Enfin, Andy et moi nous nous mariâmes en juin, quand j'en eus fini avec Horsham. Lune de miel en Belgique, il plut beaucoup et je fus heureuse de rentrer. Andy n'a pas décroché son diplôme de Médecine tropicale, aussi nous restons en Angleterre, et Andy fera une autre tentative dans un an ou deux. Tante Muriel parle d'une clientèle à Salisbury pour lui, mais avec la nationalisation de la médecine qui nous pend au nez et les gros traitements qu'on touche hors d'Angleterre, Andy dit qu'il y a une fortune à faire aux colonies. Et de toute façon, avec mon argent, nous pouvons nous permettre d'attendre un peu avant de nous établir. Nous sommes restés à Londres et je n'ai pas fait grand-chose. Pas la peine de chercher du travail puisque je suis tombée enceinte durant ma lune de miel ou avant. Nous avons un appartement très convenable, des litres d'eau chaude. Quand Andy n'est pas là, je vais me promener. Je marche et marche dans les rues, et je sais ce que je cherche. Il y a beaucoup de femmes dans les rues, je les regarde, parfois elles me rendent mon regard. Parfois, j'en vois une qui ressemble à Mara, je crois que c'est Mara... mais ce n'est jamais elle. Je suis même allée plusieurs fois à Piccadilly Circus, en pantalon et avec ma vieille gabardine. Ça n'a pas changé, il y a autant d'animation, moins de soldats, mais toujours beaucoup de femmes.

Je cherche. Le nom de Mara s'atténue même parfois comme un écho, à certains moments, et à d'autres il retentit clairement. Peut-être faudra-t-il que je continue ainsi toute ma vie, cherchant en fait Mara, faisant et disant des choses que je n'ai pas envie de faire ni de dire, sans perdre conscience un instant que là, juste hors de ma portée, il existe quelque chose de merveilleux, d'inaccessible. Enfin, je suis ce que je suis et j'ai fait ce que j'ai fait. Qui sait ? Si j'avais renoncé à tout pour Mara, qui sait où nous en serions maintenant ? Qui sait si nous aurions pu continuer ? Même si nous avions pu agir ou parler autrement, il n'en a rien été, il n'était pas en mon pouvoir d'y rien changer.

Et Mara a eu tort. Elle n'aurait pas dû se montrer si docile, s'incliner devant ma volonté ou quoi que ce pût être qui m'a fait agir comme je l'ai fait ; se laisser si docilement pousser dans la nuit, hors de ma vie, de la vie... Si elle m'avait vraiment aimée, elle ne m'aurait pas abandonnée ainsi. Je me réveille la nuit, rêvant qu'elle est là et que je ne peux l'atteindre. Parfois je la souhaite morte. Alors je cesserais de me tracasser. Elle aurait dû avoir le courage d'être elle-même, de me dire ce qu'il fallait faire. C'était elle la source d'énergie qui me poussait de l'avant. Pourquoi a-t-elle cédé si vite ? Pourquoi ? Est-ce parce qu'elle était lasse de m'aimer ? Voilà ce que je ne peux supporter : la pensée qu'elle est partie parce qu'elle ne m'aimait plus.

Alors je lui écris et je déchire. Je tempête et je divague, je lui dis que c'est sa faute, sa faute. Il aurait fallu qu'elle me retienne. Elle n'aurait pas dû s'en aller si tranquillement en n'emportant qu'un sac à main sans rien dedans, pour s'enfoncer dans la nuit, disparaître comme dans un précipice. J'arpente les rues à la recherche de son visage lumineux, comme d'une perle dans l'obscurité. Et une fois, sortant d'un restaurant, j'ai vu ce type, Felton, celui qui lui avait porté sa valise à Salisbury ; il parlait et riait avec une femme aux longs cheveux noirs. L'espace d'un instant j'eus la folle certitude que c'était Mara.

Si quelqu'un me disait que toute ma vie va se réduire à ça : écouter la radio, dormir et manger avec Andy, me lever le matin et me coucher le soir, je me tuerais.

Parfois, j'imagine que je suis sur une colline au pays de Galles, que Mara est à côté de moi, le soleil se jouant sur sa peau nue, un petit nuage semblable à du buvard barrant la montagne au loin. J'ai même essayé de retrouver ces gens là-bas, au pays de Galles, les Bradford. Peut-être, peut-être savaient-ils où était Mara. Mais je n'ai pu les retrouver.

Et ainsi je continue, pour continuer, tandis que l'automne avance et que la nuit tombe, nous menant à un autre hiver de repli sur soi, à un froid si froid, à de courtes journées si courtes qu'il faut allumer les lampes à quatre heures de l'après-midi ; alors j'allume les lampes et la radio et je tire les rideaux sur la nuit.

IMPRIMÉ EN FRANCE PAR BRODARD ET TAUPIN
6, place d'Alleray - Paris.
Usine de La Flèche, le 25-03-1974.
6949-5 - Dépôt légal n° 3387, 2e trimestre 1974.
LE LIVRE DE POCHE - 22, avenue Pierre 1er de Serbie - Paris.
30 - 11 - 3876 - 01   ISBN : 2 - 253 - 00069 - 8

30 / 3876 / 7